国際法［第2版］

INTERNATIONAL LAW

著・玉田　大
水島朋則
山田卓平

有斐閣ストゥディア

はしがき

「国際法」という文字をニュースで見ない日はないというほど，毎日の出来事のなかに国際法が登場するようになってきました。実際に，南シナ海，尖閣，竹島，北方領土，集団的自衛権，慰安婦合意，シリア内戦，北朝鮮核開発，パリ協定，英国のEU離脱……と，国際法にかんする話題には事欠きません。実は昔から国際法に関するテーマは多いのですが，最近は，私たちの普段の生活や身のまわりにも，国際法にかんする事柄がどんどん増えてきていると感じられるのではないでしょうか。学生や社会人の皆さんも，「国際法はこれからもっと重要になりそうだな」，「大学で国際法を少しは勉強しておきたいな」と考えていることでしょう。この感覚はとても重要です。今後，国際法が議論される機会は確実に増えますし，その重要性も確実に高まります。さらに，ほかの法律系科目を勉強する際にも，国際法が登場する回数は増えていることでしょう。国際法を勉強しておくことは，「損ではない」どころか，むしろ必須になっているのです。

とはいえ，学生の皆さんが実際に国際法の講義に出てみたり，国際法の教科書をパラパラっと読んでみると，「何か，考えていたことと違う」，「聞いてみたかったテーマがなかなか出てこない」と思うのではないでしょうか。なぜか，国際法の講義は「法源」や「主体」といった難しい話からはじまり，もともと関心のあった最新の話題は講義ではふれられずに終わってしまうことが多いのです。実は，国際法の世界は，確かに話題は多いのですが，その前提となる知識や範囲も多いのです。そのため，講義では最も重要な基礎部分を扱うだけで，最新の話題にまではなかなか到達しないのです。どうしても最新の話題について勉強したいという場合は，国際法のゼミに入る，あるいは自分で専門文献を探して読むほかありません。

そうすると，国際法の導入部分や全体像を頭に入れるのは，できるだけ簡単に，早く済ませてしまう必要があります。そのために企画されたのが本書です。国際法を「勉強したことがない学生」が「手っ取り早く」，「国際法の全体像」を頭に入れるための入門書です。本書は，短い上に，本当に重要な部分しか記述していませんので，国際法のエッセンスを理解するのに適しています。おそらく数日で読み通せるでしょう。本書を読んだ後，もっと分厚い国際法の教科書や専門文献に進むとよいでしょう。

本書だけで国際法の面白さがすみずみまで分かるわけではないと思いますが，初めて国際法を勉強する学生の皆さんが国際法に興味をもち，さらに勉強を深めるというきっかけになることを願っています。

2022 年 1 月

著 者 一 同

著者紹介

玉田　大（たまだ　だい）［第4章，第5章，第6章，第8章］

京都大学大学院法学研究科教授

水島朋則（みずしま　とものり）［第1章，第2章，第7章，第9章］

名古屋大学大学院法学研究科教授

山田卓平（やまだ　たくへい）［第3章，第10章，第11章，第12章］

龍谷大学法学部教授

目　次

CHAPTER 1　主　体

CHAPTER 3 国際法の存在形式 31

CHAPTER 4 国際法の国内的実施 47

CHAPTER 5 国際法の国際的実施 57

領　域 75

CHAPTER 7

海洋，南極，空，宇宙　91

CHAPTER 8

人　権　123

Column 一覧

CHAPTER

第1章

主　体

国際法とは，国際社会の法のことです。国際社会のメンバーである国家が，国際法の主体であることには，争いがありません。しかし，「国家」を自称する地域が，なんでも国際法の主体になることができるわけではありません。ある地域が国際法の主体である国家とみなされるためには，どのような条件をみたさなければならないのでしょうか。また，国家は決して不変のものではありません。2つの国家が1つに合併した場合や1つの国家が2つに分裂した場合は，元の国家が結んでいた条約や元の国家の財産などは，どのようになるのでしょうか。

今日においては，国家だけではなく，複数の国家が集まって作った国際機構（たとえば，国連）も国際法の主体と考えられています。しかし，国家と国際機構が，まったく同じ意味で国際法の主体というわけではありません。国際機構は，国際法の主体として，どのような形で国際法にかかわっているのでしょうか。また，個人や会社，NGOなども，それらをなんらかの意味で国際法の主体というかどうかはともかくとして，さまざまな形で国際法とかかわってきています。

本章では，そのような国際法の主体にかんする問題について説明します。

1 序　説

一般に，法の主体とは，その法（たとえば，日本法）が定める権利をもち義務を負う者を意味します。したがって，国際社会の法である**国際法の主体**とは，**国際法が定める権利義務をもつ者**のことであり，国際社会を構成する**国家**が，国際法の主体であることには争いがありません。同じことを，国家は**国際法人格**をもつというふうに表現することもあります。

かつては，国際法は国家間の法であり，国家だけが国際法の主体であるという考え方もありました。しかし，国際法が対象とする社会（国際社会）が変われば，国際法の主体も変わる可能性があります。今日の国際社会においては，国連のように複数の国家が集まって作った**国際機構**がさまざまな活動を行っていて，国家と並んで国際法の主体であると考えられています。ある国際機構のそれぞれのメンバー（加盟国）がもっている国際法上の権利を，その国際機構には（国際法の主体ではないからという理由で）認めないことには，あまり意味がないでしょう。とはいえ，より重要なのは，国際機構が国際法の主体かどうかよりも，国際機構がどのような形で国際法にかかわっているのかを確認することです。

今日においては，国家や国際機構だけでなく，**個人・会社・NGO** なども，さまざまな形で国際法とかかわってきています。ここでも重要なのは，それらをなんらかの意味で国際法の主体というかどうかではなく，それらと国際法がどのようにかかわっているのかを理解することです。

2 国　家

1　国家の要件と人民の自決権

(1)　国家の要件

国際法の主体としての国家は，①**住民**，②**領域**（第**6**章 ⇒75頁），③**政府**，④**他国と関係を取り結ぶ能力**をもっていなければなりません。このことは，**国の権利及び義務に関するモンテビデオ条約**（1933年）でも確認されています。たとえば，アメリカのような連邦国家を構成するそれぞれの州が，住民・領域・政府をもっているとしても，他国と関係を取り結ぶ能力をもたなければ，州は国際法の主体としての国家ではなく，そのような能力をもつ連邦国家が国際法の主体ということになります。

比較的新しい例では，2014年に樹立を宣言した「**イスラム国**」が，国際法の主体としての国家であるのかどうかも問題になるかもしれません。「イスラム国」が，住民・領域・政府のようなものをもっているという見方もありうるかもしれませんが，他国と国際法上の関係を取り結ぶ能力（むしろ，その意思）をもっているとはいえず，**国際法上の国家ではない**ということになるでしょう。

(2)　人民の自決権

伝統的国際法においては，国家の1要素としての住民とは区別される**人民**は，国際法の主体とはみなされていませんでした。そのようななか，20世紀のはじめに，ロシアのレーニンやアメリカのウィルソン大統領が政治的原則として唱えた**民族や人民の自決**という考え方が，第2次世界大戦後，いくつかの条約に取り入れられるようになっています。

たとえば，**国連憲章**は，**人民の自決権の尊重**に基礎をおく諸国間の友好関係を発展させることを国連の目的の1つとしていて（1条2項），**社会権規約**と**自由権規約**（1966年）では，すべての人民が自決権をもち，自決権にもとづいて，その政治的地位を自由に決定し，その経済・社会・文化的発展を自由に追求することが定められています（1条)。また，ジュネーブ諸条約第1追加議定書（1977年）は，自決権の行使として人民が植民地支配や外国による占領，人種差別体制にたいして戦う武力紛争を，国際的武力紛争と位置づけ，国家間の武力紛争と同じように扱うことにしています（1条)。

そのような意味では，人民は，国家とは別の国際法の主体であるともいえます。もっとも，人民が国際法の主体として自決権をもつといっても，「人民」をどのように定義するかであるとか，「自決権」の内容はどのようなものかという難しい問題があります。

自決権の内容については，一般に，**人民が新しい国家として分離・独立する外的自決**と，**すでに存在している国家の枠組みのなかで自らの政治的地位を決めたり経済的発展などを追求したりする内的自決**に区別されます。国際法上，人民が自決権をもつからといって，あらゆる場合に分離・独立まで認められるわけではありません。ケベック州の分離・独立にかんする1998年のカナダ連邦最高裁判所の意見によれば，**外的自決が認められるのは，外国の支配下にある従属人民などにかぎられます**。

2　国家の成立と国家承認

(1)　国家承認

国際社会には，ある地域（国家といえるかもしれない地域）が，国際法の主体としての国家であるかどうかを客観的に判断する機関がありません。もちろん，だからといって，ある地域が「国家」であると自ら主張するだけで，国際法の主体としての国家とみなされるわけではありません。その地域が国際法の主体としての国家の要件をみたしているかどうかは，すでに国際法の主体として存在している別の国家がそれぞれ判断する問題です。国家の要件をみたしていると判断することは，国家としての存在を認めることにほかなりません。そこで，一般にこれを**国家承認**とよんでいますが，国家承認と国際法はどのように関係しているのかをみておく必要があります。

⑵ 明示的承認と黙示的承認

国家承認の方式には，明示的承認と黙示的承認があります。**明示的承認**とは，ある地域が国際法主体としての国家であることを，別の国家が明示的に認めるものです。具体的な例として，日本が2015年5月の閣議決定で南太平洋にあるニウエを国家承認したことをあげることができます。**黙示的承認**とは，**外交関係の開設**や**条約の締結**のように，相手方が国際法の主体であることを前提とする行為によるものです。たとえば，国連に加盟するには，平和愛好「国」である必要がありますが（国連憲章4条），日本は，1961年にモンゴルの国連加盟を承認する国連総会決議に賛成したことにより，黙示的にモンゴルを国家承認しました。

Column ❶ パレスチナは「国家」か？

パレスチナ解放機構（PLO）は，1974年以降，国連総会によってオブザーバーの資格を認められてきましたが（⇒55頁 **Column ⓭**），1988年にPLOのアラファト議長がパレスチナ国家の樹立を宣言しました。それ以降，パレスチナを国家承認する国家がある一方，アメリカやイスラエルなどは国家承認していない状況が続いていますが（日本も国家承認していません），国連加盟国の3分の2をこえる132の加盟国がパレスチナ国家を承認するようになった2012年11月の国連総会決議において，パレスチナには「非加盟オブザーバー国家資格」が認められました。それ以降，パレスチナは，「国家」として，さまざまな条約を締結するとともに，国連教育科学文化機関（UNESCO）などの国際機構への加盟も認められています。ただし，国連への加盟が認められるためには，国連総会で3分の2の多数が必要となりますが（国連憲章18条2項），その前提として安保理の勧告が必要となるため（同4条2項），安保理で拒否権をもつ常任理事国が反対する国家（地域）の国連加盟が認められる可能性は，事実上ありません。なお，2015年9月の国連総会決議にもとづいて，国連本部などにおいては，加盟国の国旗に続けて「非加盟オブザーバー国家」の国旗も掲げられるようになっています。

(3) 国家承認の効果

国際社会で行われているこのような国家承認の効果については，大きくわけて創設的効果説と宣言的効果説という２つの考え方があります。**創設的効果説**は，国家承認には国家を「創設」する効果があるとするものです。この考え方によれば，ある地域は国家の要件をみたすだけでは足りず，ほかの国家から国家承認されてはじめて国際法の主体としての国家になります。他方で，**宣言的効果説**は，ある地域が国家の要件をみたした段階で国際法の主体となり，国家承認にはその事実を「宣言」（確認）する効果しかないとするものです。したがって，この考え方によれば，ほかの国家から国家承認されるかどうかにかかわらず，国際法の主体としての国家になります。

かつて，ある地域を「文明国」としてヨーロッパ国際社会に受け入れることを認めるという意味で国家承認が行われた時代があります。そのような時代においては，国家承認は創設的効果をもっていたといえます。創設的効果説は，国家としての成立の根拠を，ほかの国家による国家承認という行為に求めようとするものです。しかし，国際社会が地球全体をカバーし，**1** (2)⇒3頁で述べたように**人民の自決権**を原則とする今日においては，自決権を行使する人民以外の主体（ほかの国家）による国家承認を重視する創設的効果説は適切ではありません。国家承認は，政治的判断にもとづいて与えられたり，与えられなかったりすることもあるからです。**今日における国家承認の効果は，宣言的なものと一般に考えられています**。

(4) 未承認国家の地位

国家承認の効果が宣言的なものだとすると，ある地域の国家承認がなされていないことは，その地域（**未承認国家**とよばれます）が国際法の主体ではないことを必ずしも意味しないことになります。国家承認がなされていないのは，未承認国家が国家の要件をみたしていないからなのか，それとも，国家の要件はみたしているけれどもほかの（政治的な）理由のためなのかを見わける必要があります。

国連加盟国でありながら，日本政府によって国家承認されていない未承認国家の例が，**北朝鮮**です。日本と北朝鮮は，ともに著作権の保護に関するベルヌ条約の締約国ですが，北朝鮮の映画が日本においてベルヌ条約上の保護を受けるかどうかが争われた事件があります。この事件において日本の最高裁判所は，未承認国家が多数国間条約に加入しても，その条約上の義務が普遍的価値を有する一般国際法上の義務であるときなどは別として，未承認国家との間にその条約上の権利義務関係がただちに生じると解することはできないとしました（最高裁 2011 年 12 月 8 日判決）。この判決は，国家承認がなされていない理由を問わずに国際法の主体としての性格を（少なくとも部分的に）否定していることなど，いくつかの点で問題をかかえています。

Column ❷ 政府承認

国家承認と似たものとして，国家の 1 要素である政府について，政府承認が行われることがあります。通常，ある国家の政府が変わっても，国際法の主体としての国家は変わりません。政府が変わっても，その国家の国際法上の権利義務はそのまま維持されます。しかし，ある国家で革命やクーデタなどが起こった場合，その国家との政府間交渉をどの政府を相手として行うのかという問題が生じることがあります。そのような問題に対処するために行われるのが，政府承認です。

たとえば，日本は，中国について，1972 年に中華民国政府（台北政府）から中華人民共和国政府（北京政府）へと政府承認の切り替えを行いました。それにともなって，中華民国が留学生用の寮の明渡しを求めて 1967 年に日本で起こしていた裁判において，「中華民国」がそのあとも日本で裁判の当事者となることができるのかどうかや，「中華民国」が日本で所有していた不動産の所有権が中華人民共和国政府に移るのかどうかが，国際法の観点から問題になりました（光華寮事件）。しかし，最高裁判所は，提訴から約 40 年もたった 2007 年 3 月 27 日の判決で，中華民国の外交使節がもっていた「中国国家」の日本における代表権が政府承認の切り替えにより消滅したとして，審理をやり直すためこの事件を第 1 審裁判所に差し戻しました。

3　国家の変動と国家承継

(1)　国家承継

いったん成立し，国際法の主体となった国家は，そのままの形で存在し続けるとはかぎりません。**国家が合併したり分裂したりする場合**に，元の国家が結んでいた条約や元の国家の財産などは，どのようになるのでしょうか。これが，**国家承継**（あるいは**国家相続**）とよばれる国際法の問題です。

関連する条約である条約承継条約（1978年）と財産承継条約（1983年）は，国家承継が問題となる場合を，下のPOINTのような4つにわけています。もっとも，前者は23か国の間で発効しているにとどまり，後者は未発効です（日本はいずれも未批准）。また，国家の変動は日常的に生じることではないこともあり，国家承継について，実際にはケース・バイ・ケースで処理されてきたことも確認しておきましょう。

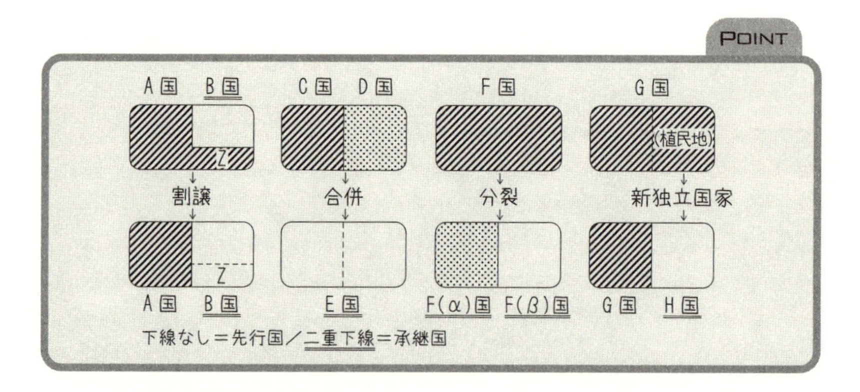

(2)　国家領域の割譲の場合

A国の領域の一部（Z）がB国に**割譲**される場合には，Zに適用されていたA国の条約は，Zにかんして効力を失い，かわってB国の条約が効力をもちます（条約承継条約15条）。財産については，Zにある不動産と，ZについてのA国の活動に関係する動産が，B国に移ります（財産承継条約14条）。

⑶ 国家の合併の場合

C国とD国が**合併**してE国になる場合には，C国とD国の条約は，それまで効力をもっていた領域にだけ適用されます（条約承継条約31条）。財産は，いずれもE国に移ります（財産承継条約16条）。

⑷ 国家の分裂の場合

F国が**分裂**してF（α）国とF（β）国になる場合には，F国全体について効力をもっていた条約は，両承継国について引き続き効力をもちます（条約承継条約34条）。財産については，不動産はそれが所在する承継国に移り，動産は，一定のものをのぞき，衡平な割合で承継国に移ります（財産承継条約17条・18条）。

⑸ 新独立国家の場合

条約承継条約と財産承継条約は，それぞれの前文で**非植民地化**や**人民の自決権**に言及していて，植民地支配から独立するH国（**新独立国家**）の場合を，一般的な国家の分裂の場合と区別しています。条約については，H国はG国の条約の効力を維持する義務は負いませんが，通告などをすれば当事国になれます（条約承継条約16条・17条・24条）。財産については，H国の領域にある不動産と，その領域についてのG国の活動に関係する動産が，H国に移りますが，この原則とは違う扱いに両国が合意する場合でも，**天然資源にたいする人民の恒久主権の原則**を侵害してはなりません（財産承継条約15条）。

3 国際機構

1 国際機構の歴史的展開

第1次世界大戦前にも，国家は，エルベ河やダニューブ河のような複数の国家を流れる国際河川の管理のために，それぞれの河川について沿岸国が**国際河川委員会**とよばれる組織を作ったり，通信や保健などの分野で**国際行政連合**と

●国連本部（ニューヨーク）

（dpa／時事通信フォト）

よばれる組織を作ったりして，国際的に協力してきました。第1次世界大戦後のベルサイユ条約にもとづいて**国際連盟**と**国際労働機関**（**ILO**）が設立されましたが，ILOは，国際機構として今日まで100年以上活動を続けています。

国際法の主体としての国際機構とは，一般に，複数の国家が共通の目的を実現するために結んだ条約にもとづいて設立されたものをさします。今日においては，**国連**をはじめとする多くの国際機構が，それぞれの目的を追求して，さまざまな活動を行っています。条約ではなく，たとえば国内法にもとづいて設立される団体については，その活動が国際的な要素をもつ場合でも，非政府組織（NGO）として（⇒14頁④**4**），国際法の主体としての政府間国際機構とは区別されます。

2　国際機構の権限

国際機構は，少なくとも今日においては，一般に国際法の主体と考えられていますが，**国家とは違い，国際法上のあらゆる権限をもつわけではありません**。国際機構には，**それを設立した国家によって権限が与えられ，その権限の範囲は，国家が国際機構を設立して促進しようとした共通利益との関係で決まります**。国際機構の権限は，明示的なものと黙示的なものに区別することができます。

(1)　明示的権限

国際機構を設立する条約（**設立文書**）においては，その国際機構がなにを目的として，どのように内部の組織を構成して，どのような活動を行うかが定められます。ある国際機構が国際法の主体であることを示す権限を，その国際機構の設立文書が明示的に認める場合もあります。たとえば，国連の設立文書である国連憲章においては，国際の平和と安全の維持に必要な兵力などの提供について，安保理と国連加盟国との間で協定が結ばれ，その協定はそれぞれの国連加盟国の憲法上の手続に従って批准（ひじゅん）されなければならないことが定められています（国連憲章43条。⇒187頁第**12**章②**1**(2)）。また，国連憲章は，国連がその目的の達成に必要な特権免除を国連加盟国において与えられることも定めています（国連憲章105条）。これらは，国際法の主体である国家が，他の国家との間で結ぶ条約（⇒32頁第**3**章①**1**）や，他の国家において与えられる特権免除（⇒26頁第**2**章⑤**2**）と似たものといえるでしょう。

(2) 黙示的権限

国際機構の権限について問題となるのは，設立文書において明示的には認められていない権限を国際機構がもちうるのかどうか，また，どの範囲においてもちうるのかということです。この問題に関連して，1948年の第1次中東戦争の際に，イスラエルが支配するエルサレムに派遣された国連職員が殺害され，当時は国連加盟国ではなかったイスラエルにたいして国連が損害賠償を請求する権限をもつのかどうかについて，ICJの勧告的意見が求められました（ICJ国連損害賠償事件1949年勧告的意見）。

ICJは，**国連が国際法人格をもつ**ことを認めたうえで，国連には**国際請求**を行う権限があるとしました。このことから，ICJは，国連自体に損害が生じた場合だけでなく，**国連職員に損害が生じた場合**についても，国連憲章に明示されてはいませんが，国際法上，国連は当然その任務遂行に不可欠なものとして**損害賠償請求権**をもつとしました（**黙示的権限の理論**）。

国連は国連本部にかんする協定をアメリカとの間で結んでいますが，このような本部協定を結ぶ権限も，国連憲章に明示的に定められているわけではありませんので，黙示的権限の一例です。東京にある国連大学本部にかんする国連と日本との間の協定についても，同じことがいえます。

3 国際機構には認められない権限

国際機構は，明示的にも黙示的にも与えられていない権限はもちません。国連の専門機関である国際機構の場合，ICJの勧告的意見（⇒73頁第**5**章②**4**⑦）を求めることができるのは「その活動の範囲内において生ずる法律問題について」にかぎられますが（国連憲章96条2項），国際機構の活動の範囲という観点から，世界保健機関（WHO）が求めた勧告的意見をICJが出さなかったことがあります（ICJ 核兵器使用の合法性事件（WHO 諮問（しもん））1996 年勧告的意見）。核兵器の使用が健康にもたらす影響は，その合法性とは関係がないので，WHO は核兵器使用の合法性について検討する権限をもたない，というのがその理由です。

また，国際機構は，国家とまったく同じ意味で国際法の主体といえるわけではないということと関連しますが，たとえば，国際機構が国際法の主体であり，条約を結ぶことができるといっても，国際機構は，国家だけが参加できる条約（今日においても，そのような条約がほとんどです）に加わることはできません。また，うえで述べたように国際機構が ICJ の勧告的意見を求めることができる場合はありますが，ICJ が国際紛争を解決するために判決（⇒73頁第 **5** 章 2 **4** ⑥）を出す争訟手続においては，事件の当事者になれるのは国家だけなので（ICJ 規程 34 条 1 項），国際機構が，国家やほかの国際機構との間の国際紛争を ICJ に付託することは認められません。

4 個人・私的団体

1 国際法における個人・私的団体

伝統的国際法においては，**個人**（自然人）や**会社**などの私的な団体は，国際法の主体である国家（領域国や国籍国）の統治のもとにおかれ，国際法の主体ではなく**客体**（きゃくたい）であるとされてきました。たとえば，古くから 2 国間の通商条約において個人や会社にかんする規定がおかれてきましたが，これらは，個人や会社が条約上の権利義務をもつことを意味するのではなく，個人や会社の扱いにかんする国家の権利義務を定めたものであると考えられてきました。したがって，このような条約の違反によって個人や会社が損害を受けた場合でも，国家（個人や会社の国籍国）が他方の国家（加害国）にたいして**外交的保護**（⇒64頁第 **5** 章 1 **4**）を行使することができるにとどまっていました。

このような状況は，第 2 次世界大戦後に大きく変わることになります。以下でみるように，今日においては個人や会社などの私的団体も，国際法の主体になったということが適切かどうかはともかく，かつてとは比べものにならないほどさまざまな形で国際法とかかわりをもつようになっています。

2 個　　人

⇒12頁 **1** で述べたように，伝統的国際法においても，個人についてなんらかのことを定める条約はありました。第１次世界大戦後，ILO が労働者の権利を保護するために採択してきた条約の多くも，個人にかかわる条約の例としてあげられます。また，第２次世界大戦後には，**個人の人権を保障するさまざまな条約**が結ばれるようになりました（⇒126頁 第**8**章③**1**・**2**）。国際テロリズム関係諸条約のように，一定の犯罪を行ったとされる個人の処罰を求める条約は，個人の義務の側面にかかわるものといえます。

このように，個人にかかわることを定める条約の数はとても増えていますが，近年における国際法の特徴の１つとして，個人が直接かかわる国際的な手続の発展があげられます。たとえば，人権条約のなかには，その条約に定める人権を侵害された個人が，**人権委員会**や**人権裁判所**のような国際的な機関に救済を求めることができる制度を設けているものもあります（⇒129頁 第**8**章③**4**）。また，条約にもとづいて，国際社会全体の関心事である最も重大な犯罪を行ったとされる個人が**国際刑事裁判所**（ICC）において責任を追及されるシステムもできています（⇒144頁 第**9**章④）。

このように，外交的保護のような国家間の手続ではなく，国際法上の権利を実現するために個人が利用できる手続や，国際法上の義務の違反について個人が責任を追及される手続が存在する点をとらえて，個人も国際法の主体であるとする考え方もあります。しかし，個人が国際法の主体であるかどうかという抽象的な議論よりも重要なのは，具体的にどの条約が個人のどのような権利義務を定め，個人がかかわるどのような手続を設けていて，その手続は実効的かどうかなどについて検討することにあります。

3 会　　社

2 で個人について述べたことと同様のことは，会社についてもあてはまります。ただし，一方で，人権条約が定める手続を会社が利用できるケースは例外的であること（欧州人権裁判所など），また，ICC は会社については管轄権をもたないこと（ICC 規程 25 条 1 項）などを確認しておく必要があります。他方で，近年，多くの会社が，**企業の社会的責任**（**CSR**）の一環として，国際条約などに示された基準（たとえば，ILO が採択してきた条約や勧告）を，自発的にその活動に取り入れていることなども，注目されます。また，近年，投資にかんする条約（投資協定）を利用して投資仲裁（投資家対国家）が行われることが増えていますが（第 **11** 章 ② 図表 11.3 ⇒179頁），このような投資仲裁の一方の当事者である投資家の多くは会社です。

4 NGO

非政府組織（**NGO**）は，③ ⇒9頁 で取り上げた国際法の主体としての政府間国際機構とは違いますが，国際的に活動する NGO も多くあり，とりわけ今日において，NGO と国際法とのかかわりを無視することはできません。たとえば，NGO に明示的に言及する国連憲章 71 条にもとづいて，多くの NGO に**国連経済社会理事会との協議資格**が与えられ，会議へのオブザーバー参加や，文書提出・発言の権利が認められてきました。**赤十字国際委員会**のように，武力紛争の犠牲者を保護するために活動することを条約で認められているものもあります（ジュネーブ諸条約第 1 追加議定書 81 条）。ほかにも，関連する条約に定められているものではありませんが，WTO の紛争解決手続において（第 **11** 章 ① **1**(**4**) ⇒168頁），NGO が意見書を提出した場合に，それを受理し，考慮することが認められたケースもあります。

また，対人地雷禁止条約（1997 年）の作成において大きな役割をはたした**地雷禁止国際キャンペーン**（**ICBL**）のように，非公式な形ではあれ国際法（条約）の形成にかかわる NGO もみられます。かつては国家がほぼ独占してきた国際法を作るプロセスに，このように NGO がかかわることによって，それぞれの国家の利益にとらわれない**国際社会全体の利益**が国際法の内容に反映されることになるとすれば，それは歓迎すべきことといえるでしょう。もっとも，少なくとも建前上はそれぞれの国民を代表しているという意味で正統性をもっている国家とは違い，NGO の場合には**その活動の正統性の根拠**が不明確であり，NGO の活動によって国際社会全体の利益が促進される保証が必ずしもないことも，確認しておく必要があります。

CHAPTER

第2章

国家の主権

第**1**章でみたように，国家だけが国際法の主体であるというかつての考え方については見直しの必要があるとしても，国家が今日においても国際法の主体として中心的な役割をはたしていることについては，争いがありません。国家は，**主権**をもつという点で国際機構や個人・私的な団体と区別されるとともに，同じように主権をもつほかの国家との関係では差別されないことが，国際法の原則となっています（**主権平等原則**）。平等である国家の間では，他国の国内問題に干渉することは認められません（**不干渉原則**）。

また，主権をもつ国家は，自国の領域においてさまざまな形で権限（**管轄権**）を行使し，国内法を作ったり，作った国内法を実施するために強制執行などの措置をとったりすることが，認められています。他方で，国家による管轄権の行使には，国際法上，一定の制約があり，たとえば，他国の外交官などにたいして管轄権からの免除（外交特権）を与えなければならない場合もあります。

本章では，国家の主権や管轄権にかかわる国際法について説明します。

1 序　説

1 対外主権と対内主権

近代的な主権の考え方は，主権を国家の絶対的かつ永久的な権力であると主張した16世紀のジャン・ボダンにはじまるといわれます。**国家の主権**の考え方は，もともとは歴史的・政治的なものですが，国際法の観点からは，一般に**対外主権**と**対内主権**に区別されます。

対外主権とは，国家がほかの国家に服さないという側面をさし，**国家の独立**といいかえることもできます。これは，**主権平等原則**につながるとともに，ほかの国家に干渉されず，逆に，干渉してはならないという**不干渉原則**につながるものでもあります。他方で，対内主権とは，その領域内の人や物にたいして，ほかの国家に干渉されずに排他的に統治を行うことができるという側面をさし，国家による権限（**管轄権**）の行使にかかわります。

2 国家の主権と条約の締結との関係

国家は主権をもつといっても，それは，国家が国際法に服さないということまで意味するものではありません。むしろ，PCIJ（常設国際司法裁判所）ウィンブルドン号事件1923年判決でいわれたように，**条約を結ぶ権利**は，国家の主権のあらわれの1つです。つまり，国家は主権をもつからこそ，ほかの国家と条約を結ぶことができるというわけです。条約を結ぶことによって国家が義務を負うこともありますが，それも，主権をもつ国家の意思にもとづく結果といえます。

もちろん，条約の内容によっては，国家の主権に影響が及ぶこともあります。たとえば，国家が自国領域の一部をほかの国家に譲る条約を結べば，対内主権を行使する領域が狭くなることになります。PCIJドイツ・オーストリア関税同盟事件1931年勧告的意見で問題となったように，経済などの特定分野における主権（独立）を制限する条約もありえます。

国際法における国家の主権の重要性に照らして，主権を制限する条約については，その解釈において特別な考慮が求められるとも考えられています。たとえば，PCIJ ウィンブルドン号事件 1923 年判決は，主権を制限する条約の規定は，その文言上の意味が疑わしい場合には限定的に，すなわち主権ができるだけ制限されない方向で解釈すべきであるとしています。

主権平等原則

1　形式的平等

国家間には，面積・人口・経済力・軍事力などの面で非常に大きな差があります。面積では，最大のロシアが約 1,710 万㎢であるのにたいし，国連加盟国のなかでは最小のモナコは約 2 ㎢です。人口の面では，それぞれ 13 億人を超える中国やインドにたいし，国連加盟国ではありませんが 2015 年に日本が国家承認したニウエ（⇒5頁第**1**章②**2**(2)）の人口は 2,000 人を下回っています。

他方で，いずれの国家も対外主権をもち，ほかの国家に服さないということから，国際法上，国家どうしは平等であるという**主権平等原則**が導き出されます。国連も，「すべての加盟国の主権平等の原則に基礎をおいてい」ます（国連憲章 2 条 1 項)。また，友好関係原則宣言（1970 年）は，「すべての国は，主権平等を享有する。国は，経済的，社会的，政治的その他の性質の相違にかかわらず，平等の権利及び義務を有し，国際共同体の平等の構成員である」としています。国連総会における 1 国 1 票方式（国連憲章 18 条 1 項。⇒33頁**Column ❺**）も，このような**形式的な意味での主権平等原則**を象徴するものといえます。

もっとも，国際法においては，その主体である国家の間で主権平等原則があてはまっているとはいっても，国際法上の権利義務がすべての国家について同一であるというわけではありません。そのような意味での平等は存在しません。慣習国際法（⇒40頁第**3**章②）についてはともかく，条約の場合には，それぞれの国家がどのような条約を結んでいるかによって，国家のもつ権利義務が違ってくるからです（⇒32頁第**3**章①）。

2 機能的平等・実質的平等

個々の条約に話を限定するとしても，必ずしもすべての条約において締約国の権利義務が同一になっているわけではありません。アメリカの領事裁判権を認めたかつての日米修好通商条約（1858年）のように，「不平等」な条約は，古くから存在します。今日においても，締約国の権利義務の内容が違う（平等でない）条約は，さまざまな分野において存在します。たとえば世界銀行（国際復興開発銀行，IBRD）が採用している**加重投票制度**においては，アメリカの投票権数とパラオの投票権数との間に500倍以上もの差がありますが（図表2.1），このような加重投票制度は，機能的平等原則にもとづいているといわれることがあります。また，核兵器不拡散条約において核兵器国と非核兵器国とで異なる権利義務が定められているほか，国連海洋法条約やWTO協定，さまざまな環境条約などにおいて，途上国について特別な考慮を払い，異なる扱いを認める規定がおかれています（⇒154頁 第**10**章②**3**）。

このような締約国間の権利義務の違い（不平等）は，国家間の実際上の違いや国際社会のさまざまな必要性を条約に反映させたものです。途上国の事情を考慮した条約は，**実質的な意味での主権平等**を実現しようとするものともいえます。

CHART 図表2.1 世界銀行における投票権数（2021年8月現在）

		投票権数	全体に占める割合（%）
1	アメリカ	412,256	15.76
2	日本	193,745	7.41
3	中国	131,435	5.03
187	ラオス	1,040	0.04
188	セーシェル	1,031	0.04
189	パラオ	784	0.03

世界銀行ホームページをもとに著者作成。

3 不干渉原則

国家が主権をもち，ほかの国家に従わないということは，いいかえれば，国家はほかの国家に干渉されないということです。そこから，国家はほかの国家に干渉してはならないという**不干渉の義務**が導き出されます。このような不干渉原則の存在自体については争いがありませんが，問題は，ほかの国家の「なに」に干渉してはならないのか，また，そこでの「干渉」とはどういうものかということになります。

1 国内管轄事項の範囲

ICJ ニカラグア事件 1986 年判決は（⇒42頁 **Column ⑩**），国家はほかの国家の「国内または対外の事項」に干渉すること，すなわち，**国家主権の原則によりそれぞれの国家が自由に決定できる事項**に干渉することが，禁止されるとしています。これは，対外主権から導き出される不干渉原則が，対内主権とも密接な関連をもっていることを示しています。このような不干渉原則の対象となり，干渉が禁止される「国内または対外の事項」は，一般に**国内管轄事項**とよばれてきました。たとえば出入国管理の問題は「対外」事項ともいえますが，原則としてそれぞれの国家が自由に決定できる事項なので，国内管轄事項であり，不干渉原則の対象となるというわけです。

国内管轄事項の典型例としては，国家の領域内の人や物にたいしてどのような統治を行うか，つまり，**国家の政治的・経済的・文化的・社会的制度の決定**をあげることができます。もっとも，国内管轄事項の具体的な範囲については不明確な部分もあり，また，ある事項が国内管轄事項であるかどうかは，国際関係や国際法の発展によって変わることがあります。

国際関係や国際法の発展にともなって国内管轄事項の範囲が変わる例としてあげられるのが，国籍の問題です（⇒124頁 第 **8** 章 ①）。だれにどのような条件で自国の国籍を与えるかは，原則としてそれぞれの国家が自由に決定することが認められているため，基本的には国内管轄事項であり，たとえば，母親ではなく父親が自国民であることを理由として，その子に自国の国籍を与えること（父系血統主義）にはなんら問題がありません。他方で，ある国家が，たとえば子の国籍にかんする男女の平等を定める女子差別撤廃条約（1979年）を締結するという場合には，少なくとも他の締約国との関係において，国籍の決定についての自由（父系血統主義を採用する自由）が制約され，そのかぎりで国内管轄事項とはいえなくなります。

2 干渉となる行為

たとえば国内の統治にかんする国家の政策が国内管轄事項であるといっても，ほかの国家がその政策を批判するにとどまるような場合には，一般に干渉とはみなされません。干渉となるのは，国家が，ほかの国家の政策などを維持ないし変更するために，その意思をほかの国家にたいして強制的に押しつけること，つまり，**強制またはその威嚇（いかく）を背景とした命令的な介入**です。

(1) 軍事的行為

今日の国際法によって禁止されている武力の行使や武力による威嚇が（第**12**章）⇒181頁，干渉にあたることはいうまでもありません。そのほかにも，軍事的な行為は，その強制的な性格から干渉と結びつきやすいといえます。たとえば，ICJ ニカラグア事件 1986 年判決では，**他国の政府を転覆する目的をもった武装集団を支援すること**は他国の国内管轄事項への干渉にあたるとし，アメリカが資金や武器の提供によってニカラグアの反政府組織の軍事的活動に与えた支援を，不干渉原則の明らかな違反であるとしました。

(2) 非軍事的行為

非軍事的な行為は，干渉と比較的結びつきにくいといえます。たとえばICJは，大使館で人をかくまうこと（**外交的庇護（ひご）**）が領域国の国内管轄事項への干渉にあたるとしたことはありますが（ICJ 庇護事件 1950 年判決），経済援助の停止や禁輸措置については不干渉原則の違反を認定しませんでした（ICJ ニカラグア事件 1986 年判決）。もっとも，とりわけ国家間の経済的・政治的な力の差が大きい国際社会においては，経済的・政治的な行為が強制の要素をもつ場合があることは否定できません。友好関係原則宣言（1970年）も，「いかなる国も，他国の主権的権利の行使を自国に従属させ，かつ，その国から何らかの利益を確保するために，経済的，政治的その他，他国を強制する措置をとり又はとることを奨励してはならない」として，経済的・政治的な行為を不干渉原則のなかに位置づけています。

4 国家の管轄権

1 国家の管轄権とその分類

常設仲裁裁判所パルマス島事件1928年判決は，「国家間の関係においては，主権とは独立を意味する。地球の一部分にかんする独立とは，ほかのいかなる国家をも排除して，そこにおいて国家の機能を行使する権利である」と述べています。ここにも示されているように，国家が対内主権をもち，その領域内の人や物にたいして排他的な統治を行うことができるということは，対外主権（独立）の延長線上にあるものとみることもできます。そのように国家が人や物にたいして統治を行う権限を**国家の管轄権**といいます。

国家の管轄権は，一般に，法律を定める**立法管轄権**，裁判所が法律を適用する**裁判管轄権**，法律や裁判所の判決を執行する**執行管轄権**に分類されます。ここでは，刑法などの法律で一定の行為を犯罪と定め，それを行った者にたいして裁判を行い，処罰するという場面を例にとりながら，国家の管轄権にかかわる国際法についてみてみましょう。

2 自国領域内の犯罪についての管轄権

国家が，自国領域内で行われた犯罪について管轄権をもつことには，争いはありません（**領域主義**ないし**属地主義**）。自国領域内の犯罪については，それを行ったのが自国民であるか外国人であるかは問題となりません。外国人であっても，自らの意思でその国にいる以上は，領域国の法律に従わなければならないからです。日本の刑法も，日本国内において罪を犯した「すべての者」に適用されることになっています（1条1項）。

このことは，**治外法権**といわれることもある外国の大使館のなかでの犯罪についてもあてはまります。たとえば，日本にあるアメリカの大使館内での賭博行為であっても，日本の刑法上の犯罪が成立するとした古い判例があります（大審院1918年12月16日判決）。

もっとも，自国領域内で犯罪を行ったあとで外国に逃げた者を，国家権力を使って外国から自国に連れ戻すようなことは，**執行管轄権を外国の領域で行使するものであり，国際法に違反**します。国家は自国領域内で排他的に管轄権を行使できますが，逆にいえば，原則として，**国家は他国領域内で管轄権を行使できない**からです（PCIJ ローチュス号事件1927年判決）。そのような場合は，外国の協力を得て犯罪人を引き渡してもらったうえで，自国領域内で裁判を行うことになります（⇒136頁第**9**章②**1**）。

3 自国領域外の犯罪についての管轄権

国家が，自国領域内で行われた犯罪について管轄権をもつということは，逆に，自国領域外で行われた犯罪については管轄権をもたないということを意味するわけではありません。過去に自国領域外で犯罪を行った者が，現在は自国領域内にいる場合に，その犯罪人にたいして裁判を行うことは，原則として国家の裁量にゆだねられています。実際，国家はさまざまな根拠にもとづいて，自国領域外で行われた犯罪についても管轄権を行使しています。

そのような根拠としては，たとえば，自国の船舶や航空機内での犯罪であることを理由とする**旗国主義**（⇒94頁第**7**章②**1**）・**登録国主義**，自国民による犯罪であることを理由とする**能動的国籍主義**ないし能動的属人主義，自国民にたいして被害を及ぼしたことを理由とする**受動的国籍主義**ないし受動的属人主義，通貨偽造のように自国の利益を侵害したことを理由とする**保護主義**があげられます。このうち，受動的国籍主義にもとづく管轄権の行使については，犯罪人が被害者の国籍（また，被害者の国籍国の刑法や刑罰）を知らない場合もありうることから，否定的な考え方もあります。

また，公海上で行われた**海賊行為**については，海賊船を拿捕した国に裁判管轄権が認められます（⇒94頁第**7**章②**1**）。近年では，拷問等禁止条約や国際テロリズムにかんするさまざまな条約のように，自国の領域外で行われた犯罪のうち一定のものについて，国家の任意（裁量）によるのではなく，義務として管轄権の行使を求める条約も増えています。国家によるこのような管轄権の行使は，これらの犯罪が国際社会の普遍的・一般的な利益を侵害することを理由とするものであり，**普遍主義**（**普遍管轄権**）とよばれることもあります。もっとも，いずれにせよ，裁判が行われる時点では犯罪人が自国領域内にいることが前提となっていることを確認しておきましょう。これは，引き渡すか訴追するかの義務（第9章③2）とも関連します。⇒141頁

Column ❸ タジマ号事件と日本での受動的国籍主義の復活

日本の刑法は，1907年に制定された当初は，受動的国籍主義を定めていましたが，国家主義的性格が強いという理由で，第2次世界大戦後の改正（1947年）によって，国際協調主義の観点から削除されました。そのため，2002年にペルシャ湾から日本に向かって公海上を航行していたパナマ船（タジマ号）内において，フィリピン人船員が日本人船員を海に投げ込んで殺害したとされる事件で，当時の日本の刑法を適用して日本で裁判することができませんでした。この事件を1つのきっかけに，2003年の改正で，自国民保護のためであるとして，受動的国籍主義が対象犯罪を限定したうえで復活し，日本国外において「日本国民に対して」殺人罪などを犯した日本国民以外の者にも日本の刑法が適用されることになりました（刑法3条の2）。

5 外国の国家機関などに与えられる管轄権免除

国家が管轄権を行使しようとする場合，それが自国領域内の人や物にたいする場合であっても，国際法上の制約が存在します。外交特権とよばれたりするものが，1つの例です。ここでは，外交官などの外国の国家機関にたいする管轄権の場合と，外国自身にたいする管轄権の場合とにわけてみてみましょう。

1　外交特権など

(1)　外交官と領事官の任務

ある国家の領域内で活動する外国の国家機関としてよく知られているのが，外交官と領事官です。**外交官**の任務には，受入国（接受国（せつじゅ））において**本国（派遣国）を代表する**ことや，派遣国とその国民の利益の保護などが含まれます（外交関係条約3条）。**領事官**の任務には，派遣国とその国民の利益の保護のように外交官の任務と共通するもののほか，派遣国の国民にたいする**パスポート**の発給や派遣国への渡航希望者にたいする**ビザ**の発給などが含まれます（領事関係条約5条）。

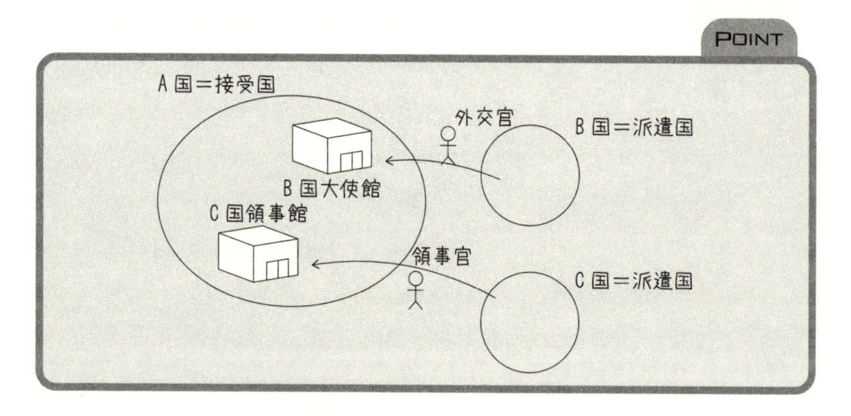

(2)　外交官と領事官の特権免除

そのような任務を円滑に行えるように，外交官や領事官にはさまざまな特権や免除が与えられています。うえでみたように両者の任務には違いもあるので，それぞれに与えられる特権免除の内容は必ずしも同じではありません。

外交官の身体は不可侵とされるので，接受国は外交官を逮捕したりすることはできません（外交関係条約29条）。また，外交官は，接受国の**刑事裁判権から免除される**ほか，接受国の領域内にある個人の不動産にかんする訴訟などの場合をのぞき，民事裁判権からも免除されます（外交関係条約31条）。**領事官**の場合も接受国で逮捕されたりしないことが原則ですが，**重大な犯罪の場合は例外**

とされています（領事関係条約41条）。また，領事官が接受国の裁判権から免除されるのは，領事任務の遂行にかかわる場合にかぎられます（領事関係条約43条）。

外交官の身体と同様に，外交官が任務を行う**大使館**も**不可侵**とされていて，接受国の職員は，使節団の長が同意した場合をのぞいて，大使館に立ち入ることができません（外交関係条約22条）。他方で，**領事館の不可侵**は，より限定されています。接受国の職員が立ち入る場合に領事機関の長の同意が必要なのは，領事館のうち，**もっぱら領事機関の活動のために使用される部分**についてだけとなっていて，また，その部分についても，火事などの災害の場合には領事機関の長の同意があったものとみなすことになっています（領事関係条約31条）。

(3) 外交特権の濫用

あらゆる特権は濫用されるおそれがあり（濫用されているようにみえることが多く），外交特権も例外ではありません。大使館が不可侵であることを利用して，大使館に逃げ込んだ人をかくまう**外交的庇護**とよばれる行為も，外交特権の濫用の一例といえるでしょう（外交的庇護は一般に国際法違反と考えられています（③**2**）⇒20頁）。

もっとも，外交特権が**濫用**されたからといって，それに対抗して接受国が外交特権を否定することは，認められていません。ICJ在テヘラン米国大使館員人質事件1980年判決によれば，外交関係の国際法は，一方で外交特権を定めるとともに，他方で，それが濫用されることを想定し，濫用にたいして接受国がとることのできる手段を特定している**自己完結制度**になっています。具体的には，外交官が**ペルソナ・ノン・グラータ**（好ましくない人）であるとして，派遣国にその外交官を召還（しょうかん）させるか外交官としての任務を終了させることや（外交関係条約9条），究極的には，派遣国との**外交関係の断絶**が含まれます。逆に，接受国は，外交特権が濫用された場合でも，そのように特定されていない手段をとること（たとえば外交官の逮捕）はできないということになります。

(4) 元首・政府の長・外務大臣の特権免除

外交官や領事官とは違い，ふだんは本国で任務を行う外国の元首や，政府の長，外務大臣にたいしては，従来，国家の管轄権が（どの程度）及ぶのかということが問題になることはそれほどなく，外交関係条約や領事関係条約のような関連する多数国間条約もありません。そのようななかで，ベルギーがコンゴ民主共和国の外務大臣にたいして逮捕状を出したことが争われた事件において，ICJ は，国際法上，外交官や領事官と同様に，**外国の元首・政府の長・外務大臣らが管轄権免除を享有する**ことは確立しているとして，外務大臣には刑事管轄権からの完全な免除が認められるとしました（ICJ 逮捕状事件 2002 年判決。⇒51頁 **Column ⑫**）。

(5) 駐留外国軍隊にたいする管轄権

ある国家の領域内に外国の軍隊が駐留する場合にも，関係国の間で条約が結ばれ，駐留外国軍隊にたいする管轄権の行使について取り決めがされます。在日アメリカ軍の構成員による日本での犯罪については，日米地位協定に従って（⇒195頁 第 **12** 章 ② **3**），日米両国が管轄権（刑事裁判権）をもちますが，**公務執行中の行為から生じる犯罪の場合はアメリカの管轄権が，その他の場合は日本の管轄権が優先される**ことになっています（17 条）。

2 主権免除（国家免除）

国際法上，⇒24頁 **1** でみた外交特権などと同じように，外国自身あるいはその財産が別の国家の裁判管轄権や執行管轄権から免除されるという主権免除（国家免除）の原則があります。外国が逮捕されたり刑事裁判にかけられたりということはふつうは考えられませんので，主権免除は民事裁判権の問題になります。私人（原告）が A 国の裁判所で外国（B 国）を被告として民事裁判を起こしても，A 国は裁判権をもたず，B 国は裁判手続から免除されるというものです。

この主権免除は，19 世紀はじめのアメリカの判例に起源があるとされますが，その後も，さまざまな国家の国内裁判所において主権免除が認められてきました。その際，「**人は対等な者にたいして支配権をもたない**」という表現がよく使われました。これは，**主権平等原則**から主権免除を導き出そうとするものです。しかし，主権平等原則は，国家がお互いに管轄権を行使し合うこと（主権免除の否定）とも結びつきます。主権平等原則は，主権免除を理論的に基礎づけるものというよりは，外国を被告とする裁判を行うことに消極的な国内裁判所が，そのような裁判をしないで済ますための口実として使われてきたといえるでしょう。

(1) 絶対免除主義と制限免除主義

国際法上，どのような場合に主権免除が認められるのでしょうか。かつては，たとえばアメリカやイギリスにおいて，外国が主権免除を放棄した場合などだけを主権免除の例外とする**絶対免除主義**がとられたこともあります。他方で，すでに19世紀からイタリアやベルギーでは，外国のさまざまな行為のうち，主権行為についてだけ主権免除を与え，主権行為ではないもの（業務管理行為とよばれます）については主権免除を与えない**制限免除主義**がとられていました。

20世紀に入って，国家の活動範囲が広がり，国家自身が個人や民間企業と同じように経済活動を行うことが増えると，そのような活動についてまで主権免除を認めることは不公平であり，取引の安全を害するとして，**制限免除主義をとる国家が増えていきました**。たとえば，アメリカやイギリスが1970年代に制定したような主権免除にかんする国内法は，いずれも制限免除主義をとっていますが，このような国内制定法をもつかどうかにかかわらず，**今日において絶対免除主義をとる国家はほとんどみられません**。

(2) 制限免除主義における行為目的説と行為性質説

制限免除主義をとる場合には，主権免除が与えられる主権行為と，与えられない業務管理行為とを区別する必要があります。それを区別するための基準として，裁判で問題となっている外国の行為の目的を基準とする**行為目的説**や行為の性質を基準とする**行為性質説**などが主張されてきました。国家が軍隊のために靴を買うという行為を例にとると，行為目的説に従えば（軍隊という主権を体現する機関による使用を目的とする行為なので）主権行為とみなされ，行為性質説に従えば（靴を買うというだれでも行える性質の行為なので）業務管理行為とみなされるという違いがあります。ここからもうかがえるように，国家の行為は究極的にはすべて主権的な目的で行われるともいえるので，行為目的説にたいしては，絶対免除主義と変わらないという批判があります。

(3) 執行免除

外国に裁判管轄権からの免除が認められない場合には，外国にたいする裁判が行われ，その判決の執行という問題が生ずることになります。外国のどのような財産が執行管轄権から免除されるかという執行免除の問題についても，諸国がとる立場には違いがありますが，今日では，裁判権免除の場合と同じように，**外国が主権行為のために使っている財産についてだけ執行免除を認める立場が一般的**になっています。もっとも，外国名義の銀行預金のように，それが主権行為のために使われているかどうかの判断が難しい場合もあります。

(4) 国連国家免除条約

国連国家免除条約（2004年）は，まだ発効していませんが，基本的には制限免除主義にもとづき，一方で原則として外国に主権免除を与えることを定め，他方で外国に主権免除が与えられない具体的な場合をあげる方式をとっています。裁判権免除が与えられない場合としてあげられているのは，免除を放棄した場合のほか，たとえば，商業的取引，雇用契約，裁判をする国における身体の傷害にかんする裁判です。商業的取引かどうかを判断する基準としては，行為性質説を原則としつつ，一定の場合には行為の目的も考慮すべきであるとしています。

執行免除については，商業目的のために使われている財産などをのぞいて，外国の財産は強制執行などから免除されることを定めるとともに，商業目的の財産とはみなさない特定の種類の財産をあげています。具体的には，たとえば，外交使節団の任務遂行に使われている銀行預金や軍事的性質の財産が，そのような種類の財産とされています。

Column ❹ ICJ 国家の裁判権免除事件

第2次世界大戦中にドイツ軍がイタリア人をドイツで強制労働させたことにたいする賠償が求められた裁判で，イタリア最高裁2004年判決が，ドイツの主権免除を否定したことが，ICJで争われました。ICJは，武力紛争時の外国軍隊による行為にかんしては現在も慣習国際法は主権免除を与えることを求めているとしました（2012年判決）。ドイツによる人権侵害が重大であることなどを理由として主権免除の否定を正当化しようとするイタリアの主張もICJはしりぞけ，イタリアの裁判所がドイツに主権免除を与えなかったことは慣習国際法違反であると判断しました。

(5) 日本と主権免除のかかわり

主権免除にかんする日本の裁判例の出発点となったのが，中華民国にたいする約束手形金請求為替訴訟事件における大審院1928年12月28日決定です。**絶対免除主義**に従うこの決定は，その後，長く日本のリーディング・ケースとされていましたが，諸国が制限免除主義をとるなかで，判例変更の機会が待たれていました。

そのような判例変更を明確に行ったのが，パキスタン貸金請求事件における最高裁2006年7月21日判決です。日本の会社がパキスタンに売り渡したコンピューター代金の支払いが問題となったこの事件で，最高裁判所は，外国の業務管理行為は，原則として日本の民事裁判権から免除されないとして，**制限免除主義の立場をとりました**。また，主権行為と業務管理行為との区別の基準については，基本的には行為性質説の立場をとりました。

この判決のあと，国連国家免除条約にもとづいた**対外国民事裁判権法**が作られ，2010年4月から施行されています。現在においては，日本の裁判所における主権免除の問題は，国連国家免除条約の発効を待たずに（日本は2010年5月にこの条約を受諾しています），また，被告とされた外国が締約国であるかどうかにかかわらず，この法律の適用を通じて，ほぼこの条約の内容に沿った判断がなされることになります。なお，対外国民事裁判権法には，商業的取引の判断基準について詳しく定める規定はおかれていません。

また，外国の裁判所で日本を被告とする民事裁判が起こされ，日本に主権免除が与えられるかどうかが問題となることもあります。最近では，元慰安婦（Column ㉖ ⇒132頁）が韓国の裁判所で日本を被告として民事裁判を起こし，損害賠償を求めた事例があります。ソウル中央地方裁判所は，2021年1月8日の判決において，朝鮮半島が戦場ではなかったことなどを理由として，ICJ国家の裁判権免除事件2012年判決（Column ❹ ⇒28頁）とは異なり，日本に主権免除は与えられないとしましたが，別の元慰安婦が起こした同様の裁判における同年4月21日の判決では（裁判官の構成は違います），一転して，国際法上，日本に主権免除が認められるとしました。

CHAPTER

第3章

国際法の存在形式

すでにお気づきのように，「国際法」と名づけられた単一の法典があるわけではありません。それでは，**国際法は具体的にはどのような形式で存在していて，どのように形成されるのでしょうか**。これについてお話しするのが，本章のテーマです。

ICJは，「国際法に従って」判断を下すのですが，具体的に適用するものとして，条約，慣習国際法，法の一般原則を列挙し（ICJ規程38条1項(a)〜(c)），法則決定の補助手段として裁判判決と学説をあげています（同項(d)）。そこで，この４つを順番に解説していきましょう。

1 条　約

1 条約とは

条約とは，**国家（または国際機構）により文書の形式で締結され，国際法によって規律される国際的な合意**です。このような合意であれば，名称は問いません。「○○条約」ではなく，「協定」，「議定書」，「憲章」，「規約」，「規程」などの名称の条約も，数多くあります。

条約は，国際法の最も主要な存在形式であり，今までに数えきれないほどたくさん結ばれてきています。

2つの国で結ばれる条約は2国間条約とよばれます。たとえば，日本とアメリカとの間の日米安保条約（⇒195頁 第12章②3）がそれにあたります。

3か国以上で結ぶ条約を，多数国間条約といいます。近年ではますます，国際会議や国際機関において，多数国間条約が作成されることが増えています。そのような多数国間条約の草案を作ることなどのために，1947年に国連総会の補助機関として設置されたのが，**国連国際法委員会**（**ILC**）です。ILCは，任期5年の34名の委員で構成されます。ILCの役割は，現行の慣習国際法などを明文化したり（**国際法の法典化**といいます），新しい規則を提案して，**国際法の漸進的発達**（ぜんしん）に貢献したりすることです。ILCで採択された草案がその後の多数国間条約につながったものとして，以下のような例があります。

EXAMPLE

［ ］内は採択（作成）年

- □ 領海条約，公海条約，大陸棚条約［1958年］
- □ 外交関係条約［1961年］
- □ 領事関係条約［1963年］
- □ 条約法条約［1969年］
- □ 条約承継条約［1978年］
- □ 国際刑事裁判所（ICC）規程［1998年］
- □ 国連国家免除条約［2004年］

ILC 以外のフォーラムで作成される多数国間条約も数多くあります。たとえば，以下のような条約があります。

EXAMPLE

- □ 社会権規約，自由権規約［1966 年，国連人権委員会］
- □ 国連海洋法条約［1982 年，第 3 次国連海洋法会議］
- □ 京都議定書［1997 年，気候変動枠組条約の締約国会議］
- □ 化学兵器禁止条約［1993 年，ジュネーブ軍縮会議］

Column ❺ 国連総会の決議

国際機構の決議は，たとえ条約と同じように国家に一定の行動を指示する内容のものであっても，一般的には勧告にとどまり，法的拘束力はありません（例外的に拘束力があるのが国連安保理の決定です。⇒187頁 第 **12** 章 ② **1**）。したがって，違反しても国家責任（⇒58頁 第 **5** 章 ①）は生じません。代表的な例が国連総会の決議です。国連総会では，国連加盟国がそれぞれ 1 つの投票権を有し，国際の平和および安全の維持などのような重要問題にかんする決議は 3 分の 2，その他の問題の決議は過半数により採択されます。採択された決議は，それ自体では法的拘束力はありません。

しかし，だからといって，国際法からみて国連総会決議が重要でないわけではありません。たとえば，決議が現行条約の解釈を示すことがあります。国連憲章の規定の解釈を示した友好関係原則宣言（1970 年）や侵略の定義に関する決議（1974 年）がその例です。また，天然資源に対する恒久主権に関する決議（1962 年）や拷問禁止宣言（1975 年）のように，慣習国際法の内容を確認したり明確化したりする場合があります。さらには，世界人権宣言（1948 年）や深海底原則宣言（1970 年）のように，その後の条約作成の布石となった決議もあります。

条約は国内法での契約に似ています。しかし，国内法では契約それ自体を「法」とは通常呼びません。他方で，条約はまさに国際法の中心的な形式とされています。国内のような立法機関がない国際社会では，その構成員である国家（または国際組織）がそれぞれ結ぶ条約を国際法の主要な構成要素とする必要があるのです。国家の国際法上の権利や義務のほとんどは，条約により与えられまたは課されています。それでは，条約はどのような手続で締結されるのでしょうか。また，脱退や終了はできるのでしょうか。これらについての規則は，主に，**条約法に関するウィーン条約**（**条約法条約**）［1969年］で規定されています。以下，解説しましょう。

2 条約の締結および効力発生（発効）

(1) 締結・発効の手続

条約の締結に際して国を代表できるのは，全権委任状を有する者です。ただし，元首，政府の長，外務大臣などは，全権委任状の提示は不要です（条約法条約7条）。

条約に拘束されることの同意の表明は，署名のみで足りる条約については署名，その他の条約については署名に加えて批准書の交換などまで求められます。多くの条約が，同意表明の方法や効力発生の要件を規定する条文を設けています。以下の表はその一例です。

EXAMPLE

	同意表明方法	条約自体の効力発生	既発効条約への加入国についての効力発生
自由権規約（1966年12月16日採択）	批准または加入（48条）	35番目の批准書・加入書の寄託日から3か月後（49条1項）［実際には1976年3月23日］	批准書・加入書の寄託日から3か月後（49条2項）［日本については1979年9月21日］
国連海洋法条約（1982年4月30日採択）	批准，正式確認または加入（306条・307条）	60番目の批准書・加入書の寄託日から12か月後（308条1項）［実際には1994年11月16日］	批准書・加入書の寄託日から30日後（308条2項）［日本については1996年7月20日］
日米安保条約（1960年1月19日署名）	批准（8条）	批准書交換日（8条）［実際には1960年6月23日］	

(2) 同意表明または条約自体の無効

手続に従って締結された条約でも，きわめて例外的ながら，以下のいずれかを根拠にして，条約に拘束されることへの同意表明や条約そのものが効力を発生しない（つまり無効）と主張できます。ただし，無効主張がないかぎりは，有効として扱われ続けます。

POINT

① 条約締結権限に関する国内法の明白な違反（条約法条約 46 条）
② 国家代表者の権限逸脱（条約法条約 47 条）
③ 錯誤（条約法条約 48 条）
④ 詐欺（条約法条約 49 条）
⑤ 国家代表者の買収（条約法条約 50 条）
⑥ 国家代表者に対する強制（条約法条約 51 条）
⑦ 武力の威嚇または行使による国家への強制（条約法条約 52 条）
⑧ 一般国際法の強行規範に抵触する条約（条約法条約 53 条）

条約法条約 53 条の「**強行規範**」について，ここで説明しておきましょう。強行規範（ユス・コーゲンスともよばれます）とは，いかなる逸脱も許されないと国際社会全体が認める規範です。53 条によれば，強行規範に反する条約は無効となります。その点で，強行規範はそれ以外の国際法規範よりも上位に位置づけられることになります。具体的にどのような規則が強行規範にあたるかについては，議論があります。ICJ は，ジェノサイド（⇒141頁第 **9** 章 3 **2**）禁止（ICJ コンゴ領域における軍事活動事件（対ルワンダ）2006 年管轄権・受理可能性判決）や拷問禁止（ICJ 訴追または引渡しの義務事件 2012 年判決）を強行規範として認めています。

Column ❻ 日韓保護条約の効力問題

日本は，大韓帝国との間で 1905 年 11 月 17 日に署名された第 2 次日韓協約（日韓保護条約）により，同帝国の外交権を奪って保護国化しました。さらに，日本は，1910 年 8 月 22 日署名の韓国併合条約により，朝鮮半島を自国に併合し，同帝国を消滅させました。これらの条約がそもそも有効であったかについて，議論があります。とくに，日韓保護条約の署名の際には，日本側による皇帝や大臣への威圧があったとして，国家代表者への強制ゆえに無効だとの見解があります。

この点は，日韓両国の国交を正常化した日韓基本条約（1965 年）の締結交渉で問題となりました。最終的に，同条約２条では，1910年８月22日以前に両国間で締結された条約は「もはや〔alrcady〕無効であることが確認される」と規定され，併合以前の条約の失効時期は曖昧なまま残されました。

⑶ 留保制度

⒜ 留保とは

条約当事者になる際に，条約の特定の規定の法的効果を排除または変更することを宣言することができます。これを**留保**といいます。留保は原則として，多数国間条約についてのみ認められます。２国間条約への「留保」の申出は，新しい条約交渉の提案とみなされます。なお，複数の解釈が可能な条約規定の解釈を特定する宣言であり，同規定の法的効果を排除・変更しないものは，「解釈宣言」とよばれ，留保とは区別されます。

日本による例としては，人種差別撤廃条約に加入する際に，人種的優越主義にもとづく思想の流布，差別の扇動（せんどう），扇動する団体などの処罰立法義務を定める４条⒜⒝について，憲法上の集会，結社，表現の自由その他の権利と抵触しない限度で履行するとの留保を付しました。これにより日本は４条⒜⒝の義務を緩和されていることになり，実際にヘイトスピーチを犯罪として処罰する国内法をまだ整備していません。

⒝ 留保についての規則

留保は，**多数国間条約の当事国数を確保するため**に認められてきた制度です。しかし，どの当事国も自由に留保を付してよいとするなら，その条約の規律を骨抜きにしてしまうような留保がなされるおそれがあります。

そこで，留保を規制する規則が必要になります。留保を無制限に付すことが許されるのでしょうか。留保に対する他の当事国の異議は，どのような効果を有するのでしょうか。

その点で注目されるのが，**ICJジェノサイド条約留保事件勧告的意見**（1951年）です。本意見においてICJは，留保表明・異議申立ての際の基準として**「当該留保と条約の趣旨および目的との両立性」という基準**（**両立性基準**）を示しました。

Column ❼　ICJジェノサイド条約留保事件

1948年に国連総会で採択されたジェノサイド条約は，国民的，人種的，民族的または宗教的な集団の全部または一部を破壊する意図での殺害行為などを処罰する義務を定めています（第**9**章 3 **2** ⇒141頁）。1951年1月に発効しましたが（日本は未批准），旧ソ連など8か国が同条約9条（本条約の解釈適用紛争のICJへの付託条項）を中心に留保を付していたため，一部の署名国が異議を申し立てました。そこで，国連総会は，①一部当事国により異議を申し立てられた場合に留保国は当事国となれるか，②当事国になれる場合に異議国や受諾国との間で留保はいかなる効果をもつか，などについて，ICJに勧告的意見を求めました。

これにたいしてICJは，①留保が条約の趣旨および目的と両立する場合，留保国は当事国となれる，②条約の趣旨・目的との不両立を理由に異議を申し立てた国は，留保国を非当事国とみなせるが，両立するとして受諾した国は，留保国を当事国とみなせる，などと回答しました。

なお，のちにICJは，ジェノサイド条約9条への留保は本条約の趣旨および目的と両立する，と判断しました（ICJコンゴ領域における軍事活動事件（対ルワンダ）2006年管轄権・受理可能性判決）。

その後，条約法条約でこの基準が採用されました。19条によれば，当該条約が留保の可否について定めている場合はその規定に従います。たとえば，国連海洋法条約309条や気候変動枠組条約24条などでは留保を付すことができない旨が規定されているので，これらの条約への留保は禁止されます。このような規定がない場合には，留保の可否は，**条約の趣旨および目的と両立するかどうかにより判断**されます。

そのうえで，条約法条約は，留保国と他の条約当事国との法的関係について，つぎの表のように規定しています（条約法条約20条・21条）。

3　条約の適用と解釈

条約の適用についてまず重要なのが，**不遡及の原則**です（条約法条約28条）。つまり，条約の拘束力は発効前の行為などには及びません。並んで重要なこととして，原則として**条約は当事国のみを拘束**し，当事国でない国，つまり第三国を拘束しません（条約法条約34条）。これは，**すべての国家を拘束する慣習国**

POINT

	留保に異議を申し立てた条約当事国		その他の条約当事国（＝留保受諾国）
	留保国との間での条約効力拒絶を表明	左以外	
条約の適用	不適用 （20条4項(b) ただし書）	適用 （20条4項(b)）	適用 （20条4項(a)）
留保対象規定の扱い	不適用	留保部分のみ不適用 （21条3項）	留保による変更 （21条1項）

際法との大きな違いです。

条文の解釈は，「文脈によりかつその趣旨及び目的に照らして与えられる用語の通常の意味に従い，誠実に」なされなければなりません（条約法条約31条1項）。また，当事国間の事後の合意や当事国全体の合意を示す事後の慣行，当事国間に適用される国際法の関連規則も考慮されます（同条3項）。以上のような方法で解釈しても，なお意味が曖昧だったり不合理な結果になってしまう場合には，補足的に，条約の準備作業や条約締結の際の事情も考慮されます（条約法条約32条）。

4　条約からの脱退，条約の終了・運用停止

条約当事国が，条約からの脱退や，条約自体の終了または運用停止（＝効力の一時的な停止）を望むことがあります。しかし，安易にそれを認めると，意に沿わない条約からの脱退や条約自体の終了・運用停止が横行し，条約の地位は不安定になってしまいます。それでは，条約法条約はどのように規定しているでしょうか。

原則として，脱退や終了・運用停止は，**当事国間の合意によります**。具体的には，第1に，当該条約に設けられた特別規定による方法です（条約法条約54条(a)・57条(a)）。たとえば，国際連盟規約1条3項は，2年の予告による脱退を

認めていました。かつて日本は，この規定にもとづいて連盟から脱退しました。また，日米安保条約10条は，効力が10年間存続したあとは終了通告ができ，通告1年後に終了することを規定しています。第2は，全当事国の同意による方法です（条約法条約54条(b)・57条(b)）。第3に，ある条約の全当事国が同じ事項についてあらたに条約を締結した場合に，前者の条約が終了または運用停止とみなされることがあります（条約法条約59条）。

その一方で，きわめて例外的ではありますが，ある当事国が一方的に終了などを主張できる場合があります。それはつぎのような場合です。

POINT

① 他の当事国による重大な違反による終了・運用停止（条約法条約60条）
② 後発的履行不能による脱退・終了・運用停止（条約法条約61条）
③ 事情の根本的変化による脱退・終了・運用停止（条約法条約62条）
④ あらたな強行規範成立による終了（条約法条約64条）

Column ❽ 条約法条約60条とナミビア問題

アフリカ南部に位置するナミビア（1968年までは「南西アフリカ」と呼称）は，第1次世界大戦後に南アフリカ連邦（以下，南ア）を受任国とする国際連盟のC式委任統治地域となりました。第2次世界大戦後，旧委任統治地域は，独立が認められた地域とパレスチナをのぞいて，すべて国連の信託統治制度のもとにおかれました。しかし，南アは，国連総会による新制度への切替勧告を拒否しました。さらに，南アは，連盟解散により委任統治制度にもとづく受任国の義務は消滅したので，同地域についての報告提出も中止すると通告し，同地域の併合を企てました。

国連総会の要請にこたえて，ICJは3度勧告的意見を出し（1950年，1955年，1956年），同地域が依然として委任統治地域であり，南アは受任国としての義務を負うことなどを確認しました。1966年，国連総会は，同地域の委任統治を終了させ，国連の直接統治下におくことを決定しました。さらに国連安保理も，南アに委任統治終了と施政の撤廃を要請し（1969年，決議264），南アの居座りの違法性などを宣言しました（1970年，決議276）。しかし，南アはこれらを拒絶しました。

そこで，国連安保理は，南アの居座りの法的効果につき，ICJに勧告的意見を要請しました。ICJは，1971年の勧告的意見において，居座りは違法であり，南アはただちに施政権を放棄して占拠を終了する義務を負うこと，他の国連加盟国は居座りの違法性と無効を承認し，南アへの援助を控える義務を負うこと，などを結論としました。その際，ICJは，条約法条約60条は慣習国際法の法典化であると述べ，国連総会が委任統治を終了させたのは，条約の性格をもつ国際約束である委任状の義務の南アによる不履行ゆえであり，重大な違反による条約の終了にあたると述べました。

その後の国際世論の後押しもあり，ナミビアは1990年に独立し，国連に加盟しました。

慣習国際法

1 条約との相違

ICJ規程38条1項(b)の慣習国際法は，条約と並んで重要な国際法の存在形式です。慣習国際法は，条約と比べてつぎのような特徴があります。

POINT

① すべての国家を拘束する
② 不文法なので，規則の存否や内容が不明確なことが多い

このなかでも，すべての国家を拘束すること，つまり**「一般国際法」としての性格**を有することは，条約と比べたメリットです。

なお，慣習国際法の形成途上から一貫して当該規則に反対をしていた国は，たとえその慣習国際法規則が成立しても，それに拘束されないとの主張があります。これは，「一貫した反対国の法理」とよばれます。しかし，この主張の理論的・実証的根拠を疑う説もあります。

2 成立要件

慣習国際法の成立には，**一般慣行と法的信念の２要素をみたす必要**があります。

第１が一般慣行です。一般慣行のほとんどは国家の慣行を意味します。まず，国家慣行を構成する国家の行動としては，外国船舶の拿捕などのような具体的行動のみならず，議会での国内法制定や国内裁判所の判決も含みます。つぎに，このような国家の行動が国家慣行とみなされるためには，**「自己の利益が特に影響を受ける国」を含む「広範かつ一様な」行動が存在する必要**があります（ICJ 北海大陸棚事件 1969 年判決，ICJ 国家の裁判権免除事件 2012 年判決など）。これをみたしさえすれば，短期間で国家慣行が成立することもありえます。

もっとも，完全な一様性・すべての国家の支持までは不要であり，反対の行動であっても，他国から国際法違反とみなされたり，行動国自身があくまで例外として正当化を試みているならば，むしろ当該規則の存在の裏づけとなることもあります。ICJ ニカラグア事件 1986 年判決は，このような立場から，武力の不行使という完全な一様性を持った慣行はないにもかかわらず武力行使禁止義務を慣習国際法と認めました。

第２に，一般慣行の実行国には，法的信念つまり**法的な権利または義務であるとの意識**がともなっている必要があります。

他方，法的信念がなく，一般慣行のみでは，事実としての慣習にとどまります。なかでも，国際社会において儀礼的，便宜的または恩恵的考慮にもとづき一般的に守られる慣例は「国際礼譲」とよばれます。国家元首など，海外からの賓客（ひんきゃく）を迎える際の儀礼などがそれにあたります。しかし，それらは法的な義務との意識にもとづくものではないため，慣習国際法とは考えられていません。

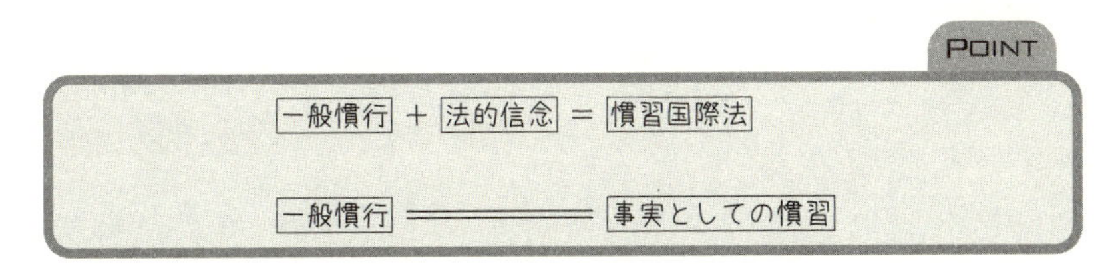

Column ❾ ICJ北海大陸棚事件

本件は，西ドイツ（当時），デンマーク，オランダという隣接3国の大陸棚の境界画定紛争です。後者2国が大陸棚条約6条2項の等距離原則にもとづいて決めた境界線にたいして，海岸線が凹状に湾曲する西ドイツが抗議しました。裁判では，大陸棚条約の当事国ではない西ドイツが，条約が規定する本原則に拘束されるかが問題となりました。

1969年判決は西ドイツの主張を支持して拘束性を否定し，そのかわりに，衡平原則に従った関係国合意によって境界画定するよう命じました。西ドイツが等距離原則に拘束されない理由の1つとして，判決は慣習国際法の成立要件を詳細に示したうえで，等距離原則の慣習国際法化を否定しました（第**7**章③⇒109頁）。

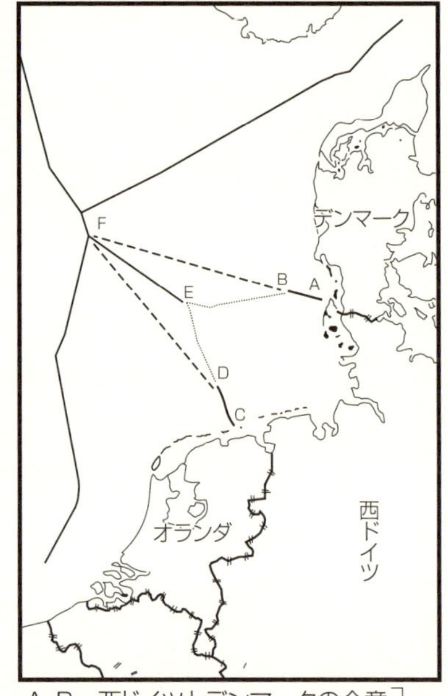

A–B　西ドイツとデンマークの合意
C–D　西ドイツとオランダの合意
B–E, D–E　デンマーク・オランダの主張
（以上 等距離線）

B–F, D–F　西ドイツの主張

Column ❿ ICJニカラグア事件

1979年にニカラグアでサンディニスタ民族解放戦線が新政権を樹立し，社会主義陣営へ接近しました。それにたいして，アメリカは反ニカラグア政策に転じ，ニカラグア国内の反政府武装組織「コントラ」へ軍事援助をはじめました。さらにアメリカは，ニカラグアの主要港に機雷を敷設し，空港・港湾・石油施設・軍事基地への攻撃，情報収集や示威活動のための領空侵犯などを行いました。ニカラグアは国連安保理の招集を要請しましたが，機雷敷設を非難する安保理決議案がアメリカの拒否権行使により否決されました。そこでニカラグア

は，アメリカの行動の違法性と賠償の決定を求めてICJに提訴しました（1984年4月9日）。

ICJは1か月後の5月10日の暫定措置命令において，アメリカがニカラグア港湾への通航を脅かす行為を差し控えること，両国が事態を悪化させる行動をとらないことを命令しました。さらに，同年11月26日の管轄権判決において，アメリカの抗弁をしりぞけ，裁判管轄権を認めました。それにたいしてアメリカは，裁判管轄権を否定，本案審理への不参加を表明しました（⇒72頁 **Column ⓮**）。

1986年6月27日の本案判決は，アメリカの選択条項受諾宣言への留保（多数国間条約のもとでの紛争は，裁判の影響を受ける全締約国が訴訟当事者でないかぎり管轄権から除外）の適用により，慣習国際法のみを適用することになりました。判決は，アメリカの行動が，慣習国際法上の内政不干渉義務，武力不行使義務，主権尊重義務，国際人道法の基本原則などに違反すると認定し，ニカラグアへの賠償を命じました。

3　成立の容易化の傾向

ここまで，慣習国際法の成立要件についてお話ししてきましたが，国際裁判所の判断においては，慣習国際法の形成が容易に認められることがあります。とくに，多数国間条約や国際機構などで採択された決議の内容の迅速な慣習国際法化を認める例が目につきます。これは，内容が比較的明確だという多数国間条約などの文書の利点と，すべての国を拘束するという慣習国際法の利点を掛けあわせる狙いがあるといえるでしょう。

POINT

	条約	慣習国際法
メリット	内容が比較的明確	すべての国を拘束
デメリット	非締約国は不拘束	不文法ゆえに内容が不明確なことが多い

たとえば，ICJニカラグア事件1986年判決は，武力行使禁止義務を慣習国際法と認定しましたが，その際に国連総会決議（とくに1970年の友好関係原則宣言）や1975年欧州安保協力会議ヘルシンキ最終議定書などへの諸国の同意を

「この問題に関する慣習国際法の法的信念の表明」とみなしました。ICJ ガブチコボ・ナジマロシュ計画事件 1997 年判決にいたっては，判決時点では準備作業中だった ILC 国家責任条文の第 1 読草案を引用して，緊急避難を慣習国際法と認めました（第 **5** 章 1 **2**(**3**) ⇒60頁）。

Column ⓫ ICJ ガブチコボ・ナジマロシュ計画事件

ハンガリーとチェコスロバキア（当時）は，ダニューブ河での水門システムを共同で建設・運用する条約を締結しましたが，ハンガリーは途中で作業を放棄しました。それにたいして，チェコスロバキアは独自に計画を変更しました。その間，ハンガリーは条約の終了を通告しました。裁判では，①ハンガリーが計画を放棄する権利を有するか，②チェコスロバキアは代替計画の作業を開始・運用する権利を有するか，③ハンガリーによる条約終了通告の効果などが論点となりました。

判決は，①・③について否定，②については作業開始にかんしては肯定する一方で運用にかんしては否定しました。とくに論点①の検討においては，緊急避難を慣習国際法規則と認めつつ，要件不充足を理由に計画放棄の違法性阻却は否定しました。

法の一般原則

ICJ 規程 38 条 1 項(c)は，「文明国が認めた法の一般原則」をあげています。これは通常，「法の一般原則」とよばれます。より具体的には，**各国の国内法に共通する一般的法原則で，国家間関係にも適用可能なもの**です。本項(c)は，常設国際司法裁判所（PCIJ）規程を起草する際に，裁判所が条約および慣習国際法に適用法規を発見できない場合の安全弁として規定され，その後の ICJ 規程でも引き継がれたものです。

法の一般原則の具体的内容については議論がありますが，一般的に，信義則や訴訟手続での当事者平等，既判力原則（確定判決についてはもはや争えないという原則）などがそれにあたると考えられています。最近では，国際投資仲裁において，「投資家の正当な期待」の保護義務が法の一般原則とされる例があります（第11章 2 2(5)⇒178頁）。

4 国際裁判所の判決

ICJ規程38条1項(d)は，「法則決定の補助手段としての裁判上の判決及び諸国の最も優秀な国際法学者の学説」を規定します。ここでは，前者の国際裁判所判決について触れておきましょう。

国際裁判所の過去の判断は，ICJが国際法規則を認定する際の「補助手段」にとどまります。したがって，理論的には，国際裁判所の判断そのものは国際法とはいえません。国際裁判所の判決の拘束力は，訴訟当事者間にのみ，かつ当該事件についてのみにしか及びません（第5章 2 4⑥⇒73頁）。

しかしそれでも，実際には，判断内容がのちに条約で採用されたり慣習国際法となったりする例が少なくありません。たとえば，ICJノルウェー漁業事件1951年判決（ノルウェーが領海画定に使用した直線基線が国際法上の低潮線規則に反しているとして，イギリスが訴えた事件）での領海の直線基線方式（第7章 2 2(2)⇒99頁）や，1 2(3)⇒36頁で述べたICJジェノサイド条約留保事件1951年勧告的意見での条約留保の許容性基準などがあります。したがって，過去の国際裁判所の判断は，国際法の形成に重要な影響を与えるのです。

CHAPTER

第4章

国際法の国内的実施

「法」という場合，大きく国際法と国内法にわけることができます。おおまかにいえば，国内法は一国家のなかで適用される法をさし，国際法は国家と国家の間の法をさします。では，国際法と国内法はどのような関係にあるのでしょうか。たとえば，自衛権という法概念は，国際法（国連憲章 51 条）と国内法（日本国憲法９条）の両方にかかわる問題ですが，両者の間に抵触や矛盾はないのでしょうか。かりに抵触がある場合，どちらが優先するのでしょうか。さらに，優劣が存在する場合，優先する法は有効であるとして，劣後する法は無効になるのでしょうか。本章ではこうした問題を検討します。

1 国際法と国内法の体系的な関係

1 一 元 論

国際法と国内法が1つの法秩序内に存在するととらえたうえで，いずれかが上位にあるととらえるのが一元論です。一元論のなかには，**国際法優位説**と**国内法優位説**があります。歴史的にみた場合，国内法のほうが国際法よりも先に（古くから）存在しており，国内法優位説を無視することはできません。また，国内法優位説は，国際法の形成過程と国内における承認プロセスを重視しています。すなわち，条約の批准手続は国内法に依拠（いきょ）していますので，国内法にもとづいて国際法が形成されていると理解しています。他方で，国内法優位説にもとづくと，国際法の自律的な存在を否定することになるため，この説を支持するのは難しいでしょう。

2 二 元 論

国際法と国内法を2つの別個の法秩序であるととらえる考え方が，**二元論**です。国際法と国内法の規律対象（国家を対象としているか，それとも個人を対象としているか），形成過程（国家の合意で形成されるのか，それとも国家の単独の意思で形成されるのか）が異なっている点に注目し，2つの法をまったく異なる法であるとみなすのです。ただし，現代国際法では，規律対象の点で両法が重複する場面が増えていますので（とくに人権保護分野），両法が完全に異なる法秩序であるととらえることは難しいでしょう。

3 等位理論・調整理論

国際法と国内法の抵触場面（とくに「義務」の抵触）に着目し，抵触の調整方法にかんする規則が存在すると主張するのが**調整理論**です。両法を優劣関係でとらえていない点で一元論とは異なっています（この点が「等位」理論です）。また，両法の抵触が存在しうるととらえる点で二元論とも異なっています。ただし，基本的な理解としては二元論に近いため，二元論の域を出ていないと理解する余地があります。また，ここにいう調整規則が国際法なのか，それとも国内法であるのかが明らかではなく，調整方法の内容も明らかでない点が難点といえるでしょう。

以上の理論的問題をふまえつつ，実際の運用にかんしては，以下では，国際法平面における国内法の位置づけと，逆に，国内法平面における国際法の位置づけにわけて説明することになります。いずれにしても国際法と国内法の「抵触」に注目した説明の仕方になりますので，調整理論に依拠しているといえます。

国際法平面における国内法の位置づけ

1　国内法援用の禁止

国内法上は合法な国家の行為（法律制定，判決，行政措置など）であっても，国際法上違法となる場合があります。この場合，**国際法平面では，国内法を根拠として国際法上の義務を免れることはできません。条約法条約 27 条**によれば，「当事国は，条約の不履行を正当化する根拠として自国の国内法を援用することができない」とされています。いくら法律で認められていたとしても，条約違反が生じた場合に，「国内法では合法だ」と主張しえないことになります。したがって，いかに国内法上の根拠があっても，国際法上の違法性は解消されません。もちろん憲法も例外ではありません。国際法上違法な行為であれば（たとえば，条約上の人権尊重義務に違反する法律），憲法上合憲であっても国際法上は違法とみなされます。

2　国際法に違反する国内法の法的帰結

国内法や国内判決が国際法に違反する場合，違反とされた国はどのように対処すればよいでしょうか。たとえば，ICJ がある国の法令や行政措置が国際法に違反すると判断した場合，（上記のように国内法を根拠に国際法違反を正当化することはできませんので）この国は国際法上の違法行為を解消しなければなりません。しかし，国内法上は憲法のほうが国際法に優越することが多いため，国際法違反の状態を解消するのは実際には大変困難です。たとえば，日本の最高裁判所判決の内容が国際法に違反する場合，どのようにしてこの確定判決を覆（くつがえ）せばよいのでしょうか。

⑴ ICJ判決の履行

ICJ 逮捕状事件 2002 年判決（Column ⑫ ⇒51頁）において，ICJ はベルギーの国際逮捕状が国際法（免除規則）に違反するとしてその取消しを命じました。ベルギーは逮捕状を取り消しただけでなく，逮捕状の根拠となった国内法（普遍的管轄権法）も改正しました。国内法を国際法上の義務に適合させるために適切な措置をとった例といえるでしょう。逆の例が，ICJ 国家の裁判権免除事件 2012 年判決（Column ❹ ⇒28頁）です。ICJ は，イタリアの最高裁判決が国際法（免除規則）に違反すると判断したうえで，「適切な立法行為により，あるいは自らが選択するその他の手法を用いて，裁判所判決が効力を失うことを確保しなければならない」と命じました。一言でいえば，最高裁判決を取り消すよう命じたわけです。通常，確定した最高裁判決を取り消す手続は，国内法上は存在しません。イタリアは，この ICJ 判決を履行するための国内法を制定しましたが，イタリア憲法裁判所は同法がイタリア憲法に反すると判断しました（したがって，現在も ICJ 判決の不履行問題が継続しています）。

⑵ 国家責任の発生

このように，国際法平面では国際法が国内法に優先しますが，実際に国際法を優先して国内法（憲法を含む）を改廃するのは大変困難です。国内法や最高裁判決を改廃できないかぎり，国際違法行為が存続し，国家責任が発生することになります（国家責任については第 **5** 章 ⇒57頁）。

なお，国際裁判において国内法の改廃が命じられる例はきわめて稀です。先にみた ICJ 逮捕状事件でも，ICJ は逮捕状の取消しは命じましたが，その根拠となる国内法（ベルギーの普遍的管轄権法）の効力についてはなにも触れていません。ICJ アイスランド漁業管轄権事件 1973 年判決では，イギリスはアイスランドの新立法を「無効」と主張しましたが，ICJ は当該法律がイギリスにたいして「対抗しえない」と述べるにとどまりました。すなわち，当該法律の国内的効力は問わないようにして，国際的効力（とくにイギリスにたいする効力）を否定したにとどまります。

Column ⑫ ICJ 逮捕状事件

コンゴ民主共和国の外務大臣のヘイトスピーチにたいして，ベルギーの予審判事は人道法違反処罰法（普遍的管轄権法）を根拠として国際逮捕状を発付しました（この外務大臣はベルギー国内にはいません）。コンゴは逮捕状が外務大臣の免除を侵害するとして ICJ に提訴しました。ICJ は，ベルギーの普遍的管轄権行使（とくに被疑者が自国内にいない場合の普遍的管轄権の行使）については判断を回避しましたが，逮捕状の発付は外務大臣が享有する免除を侵害するとして国際法（慣習国際法）に違反すると判断しました。さらに，当該逮捕状を取り消すことをベルギーに命じました。ベルギーは判決に従い，問題となった逮捕状を取り消すと同時に，逮捕状の根拠となった国内法を改正し，被疑者が自国領域内に所在しない場合，逮捕状を発付するための要件を厳格化し，実質的に管轄権行使ができないようにしました。

3 国内法平面における国際法の位置づけ

つぎに問題となるのが，国内法平面における国際法の効力と位置づけです。この問題はつぎのように2つにわかれます。①**どのような形で国際法が国内法のなかに入ってくるのかという問題**（**受容論**）と，②**入ってきた国際法が国内法秩序においてどのような序列のもとにおかれるのか**（**序列論**）という2つの問題です（POINT）。さらに，同じ国際法といっても，条約の場合と慣習国際法の場合で議論が少し異なります。

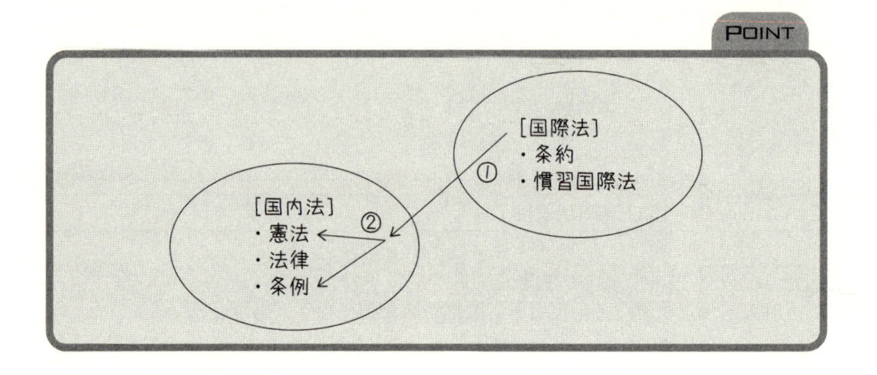

1 慣習国際法の国内的効力

まずは慣習国際法の場合をみてみましょう。

(1) 受容論

慣習国際法については，成立時期が不明瞭であり，その規律内容も不明瞭であるという問題がありますが，一般に，特別な手続を必要とせずにそのまま国内的な効力が認められています（自動的受容)。日本の場合は，憲法98条2項において「確立された国際法規」の遵守が求められていますが，ここで慣習国際法の国内的効力を認めていることになります。イギリスやアメリカでは，「国際法」（law of nations）が国内法の一部であることが判例で確立しています。ほかの国でも，憲法において慣習国際法の国内的効力を認めています（ドイツ，イタリア，ロシアなど)。

(2) 序列論

慣習国際法が国内的効力を有することについては問題が生じませんが，国内法上の序列については統一的なルールがありません。また，諸国家の立場や実行もさまざまです。ドイツでは「連邦法の構成部分」とされ，「法律に優先する」ことが憲法上認められています。日本の場合，憲法98条2項が同様の地位を認めていると解されています。多くの国では，憲法上でこの点を定めておらず，国内判例や慣行にゆだねられています。

2 条約の国内的効力

つぎに条約の場合をみてみましょう。

(1) 受容論

条約に国内法上の効力を与えるためには，2つの方法があります。1つ目は一般的受容方式であり，2つ目は変型方式です。

(a) 一般的受容方式

一般的受容方式とは，条約の公布によって条約の国内的効力を認める方法です。諸国において広く用いられている方法です（日本，アメリカ，フランス，ドイツなど）。この方式では，条約締結と条約公布だけで，当該条約の国内的適用が可能となります。ただし，裁判所で直接適用する（裁判規範となる）ためには一定の要件をみたす必要があります。すなわち，条約がそのままの形で国内的に適用される（直接適用）ためには，規律内容が明確であることが必要です。こうした要件をみたす条約を**自動執行条約**（self-executing treaty）とよびます。自動執行条約とみなされるための要件はつぎのものです。①**主観的要件**として，当該条約を国内裁判所において直接的に適用可能であることを締約国が意図していたことが求められます。②**客観的要件**として，当該条約が国内で適用される規範内容を明確に定めており，そのための手続も完全に定めていることです（条約規定の具体性と明確性ということができます）。逆に，ある犯罪取締条約が国内法制定を求めており，具体的な犯罪と罰則を国内法で定めることになっている場合，国内裁判所としては，特定の立法措置がなければこの条約を適用することができません。このような条約は**非自動執行条約**といわれます。なお，非自動執行条約の場合，国内法上の立法措置がなされないと，裁判所での直接適用はできませんが，国内的効力を有することには変わりませんので，関連法令の解釈の際に参照されることがあります。これを**間接適用**といいます。

(b) 変型方式

変型方式とは，議会の立法手続を経て条約内容を国内法に変型するものです。イギリスがその代表例です。この場合，議会の立法手続を経ないものは，条約が発効したとしても国内的には存在しないものとして扱われるため，裁判所において直接的に適用することができません。

(2) 序列論

いったん，条約が国内法としての効力を付与されると，つぎに問題となるのが国内法秩序における序列です。国内法は，憲法，法令，条例といくつかの階層にわかれていますので，条約がこの序列のどこに位置づけられるか（優先関係）が問題になります。とはいえ，この点にかんする一般原則はありませんので，個別の国家が個々に決定しています。序列については，以下の3つのパターンに分類できます。

第1のパターンは，「条約＞憲法＞法律」という序列を採用する国です（条約が憲法に優位する）。オランダやオーストリアがこの立場をとっています。例外的といってよいでしょう。

第2のパターンは，「憲法＞条約＞法律」という序列を採用する国です（憲法が条約に優位するが，条約は法律に優位する）。フランス，ロシア，スペインなど，多くの国が採用しています。日本では憲法優位説が有力ですが，その根拠は，国民主権原則に加えて，条約の国会承認手続よりも憲法改正手続のほうが厳格である，という点にあります。

第3のパターンは，「憲法＞条約＝法律」という序列です。アメリカがこの立場をとっています。この場合，条約と法律は同等の効力をもつとされており，両者の間では後法優先の原則が適用されます。したがって，条約が先にできた場合，のちに施行される法律が上位法として条約に優越する効果を有することがありえます。当然ながら，法律があとにできたとしても，条約に反するものであれば国際法違反が生じます（⇒49頁 ② 参照）。

Column ⑬ PLOアメリカ国連本部協定事件

実際にこの問題が生じたのが，アメリカ国連本部協定事件です。先にできていた国連本部協定（条約）にたいして，アメリカ連邦議会があとから「反テロリズム法」を制定しました。これは，国連内にオブザーバー代表部を有していたPLO（パレスチナ解放機構）を国連本部から締め出すことを狙った立法でした（海上テロ事件であったアキレ・ラウロ号事件への反応でした）。そのため，アメリカの締結した条約（国連本部協定）と法律（反テロリズム法）との間に抵触が生じました。一見すると，後法（本件の場合は法律）が優先するようにみえる事案です。ただし，アメリカ連邦地方裁判所は，後法優先原則の適用を避け，条約上の義務を反テロリズム法によって覆すというアメリカ連邦議会の「明確な立法意思」がないと判断しました。その結果，両法を調和的に解釈する必要があるとして，反テロリズム法のPLO国連オブザーバー代表部への適用を否定しました（抵触が存在しないと判断したのです）。このように，条約と法律の抵触の問題は，理論上は法律優位となる場合がありえますが，その場合でも結局は国際法違反が残ってしまいますので，調和的な解決が望ましいということができるでしょう。

POINT

	慣習国際法	**条約**
受容	・自動的受容など	・一般的受容方式（日本ほか） ・変型方式（イギリス）
序列	憲法＞**慣習国際法**＞法律（日本） 憲法＞法律＞**慣習国際法**（英）	一般的受容方式の場合 ・**条約**＞憲法＞法律（オランダ） ・憲法＞**条約**＞法律（日本ほか） ・憲法＞**条約**＝法律（アメリカ）

以上のように，条約の国内法上の序列は定まっておらず，国によってさまざまですので，国内法と国際法の抵触が問題となる場合は，個別の事案に即して該当する国の法状況や判例動向を検討する必要があります。

CHAPTER

第5章

国際法の国際的実施

ある国が国際法上の義務に違反した場合，この国にはどのような帰結が待っているのでしょう。たんに相手国に謝るだけでよいのでしょうか？　金銭による賠償が求められるのでしょうか？　あるいは国内刑法のように，だれか（大統領や首相？）が処罰されるのでしょうか？　こうした問題を扱うのが**国家責任**です。さらに，違法行為をめぐって加害国と被害国の間で紛争が発生した場合，どのようにして解決すればよいのでしょう。当事国どうしでまずは話し合いをするのが普通ですが，まったく議論が平行線にあるような場合，国内のように裁判所で決着をつけるのでしょうか？　こうした問題を扱うのが**紛争解決**です。本章では，①国家が国際違法行為を行った場合の帰結にかんする法（国家責任法），②国際法の解釈・適用にかんする紛争が生じた場合の解決方法（紛争の平和的解決）の２つをみます。まずは下のPOINTで全体像を把握しておきましょう。

POINT

全体像

	内容	目的	適用法
国家責任法	国際違法行為の帰結を定める	損害補てんと国際違法行為の是正（合法性の回復）	主に慣習国際法（国家責任条文）
紛争解決法	国際紛争解決の方法を定める	紛争の平和的解決（戦争の回避）	仲裁慣習法，ICJ規程

1 国家責任法

1 機能と目的

国家が国際法上の義務に違反した場合，**国家責任**が発生します。責任国は，違法行為から生じた責任を解除する（賠償する）義務を負います。国家責任法を理解するポイントはつぎの4つです。

1つ目は，1次規則と2次規則の区別です。本章で扱う国家責任法は，違法行為から生じる国家責任を対象としています。**違法行為責任**とよばれるものです。したがって，最初になんらかの国際義務を定める法（これを1次規則といいます）があり，国家がこれに違反した場合の帰結を定めるのが国家責任法ということになります。この点で，国家責任法は**2次規則**とよばれます。

2つ目は，国家責任法の目的です。国家責任法には，①被害国の損害を回復すること（損害補てん）と②義務違反から生じた法的不正状態を是正すること（合法性回復）の2つの目的があります。実際に責任法が適用される場面では，2つの機能は複合的に作用しますので，ことさら2つの違いを強調する必要はありません。

3つ目は，国家責任法には，国連海洋法条約のような統一法がありません。そこで，国連総会の下部機関である**国連国際法委員会**（**ILC**。⇒31頁第**3**章参照）が，国家責任法を法典化した条約の作成に取り組んできました。2001年にILCが完成させた**国家責任条文**は，いまだに条約にはなっていませんが，長年にわたる議論の蓄積があるため，ICJの判例において，慣習国際法の存在を示すものとして頻繁に引用されています。

4つ目は，国家責任法の性質変化です。伝統的な国家責任法は，国内に所在する外国人の身体・財産にたいする侵害を規律する国際法を中心としており，**二辺的関係**を前提としていました。すなわち，当該外国人の国籍国（被害国）と所在国（加害国）の間の関係です。責任問題は二辺的な関係におさまっていましたので，外国人の国籍国による外交的保護請求などを通じて国家責任法が実現されていました。これにたいして，戦後，多数国間条約や共通利益を保護する規範（強行規範と対世的義務）が発展したことにより，国家責任法の性質に大きな変化が生じてきます。すなわち，それまでの二辺的関係から，**多辺的関係**へと変化しています。その結果，国家責任法の性質も二辺的なものから多辺的なものへと拡張せざるをえなくなっています（POINT）。

POINT

国家責任法の性質

	二辺的な法関係	多辺的な法関係
権利義務	例：外国人の身体・財産の保護，犯罪人引渡し，友好通商条約	例：多数国間条約，対世的義務，強行規範
請求方法	例：外交的保護請求 国際裁判	国際裁判
責任内容	原状回復，金銭賠償，精神的満足（satisfaction）	違法行為の確認，（継続中の）違法行為の中止

2 国家責任の発生

①国家がある行為を行い（行為の国家への帰属），②その行為が国際義務に違反する場合，国際違法行為が成立し，国家責任が発生します（国家責任条文２条）。なお，ILC の立場では，国際違法行為の成立要件は①と②に限定されており，その他の要素（過失，損害）は排除されています。とくに**過失**については伝統的に多くの議論がありましたが，ILC は国際違法行為の成立要件から過失を除外することにより，責任の発生メカニズムをシンプルにしているといえます。

POINT

① 行為の国家への帰属 ＋ ② 国際義務の違反 ＝ 国際違法行為
↓
国家責任の発生

(1) 行為の国家への帰属

国家責任は国家の行為について問題になります。とくに，国家は国の機関の行為について責任を負いますが，私人の行為については責任を負いません。**国家機関**は，立法・司法・行政を問いません。すなわち，議会・裁判所・政府のいずれの行為であっても，国際義務に違反する場合は国家責任が発生します。また，中央政府か地域的単位の機関かも問いません（国家責任条文4条）。人または人の集団が国の**実効的統制**のもとで行為を行った場合は，当該国の行為となります（国家責任条文8条参照）。国が私人の行為を自己の行為として**認めかつ採用**した場合も国家の行為となります（国家責任条文11条）。たとえば，ICJ在テヘラン米国大使館員人質事件1980年判決では，イランの宗教指導者および他の機関が私人（デモ学生）のアメリカ大使館占拠行為を公に容認する声明を出したことから，ICJは私人の行為を国家（イラン）の行為とみなしました（国家責任条文11条の一例です）。

なお，私人の行為をもとにして国家責任が発生する場合もあります。たとえば，自国民の行為によって外国人が自国内で被害を被ったような場合です。慣習国際法では，国家には領域内で外国人が被害を受けないようにする**相当の注意義務**があります。したがって，この場合，この国は自国の不作為（＝外国人保護のための注意を怠(おこた)ったこと）によって「相当の注意義務」に違反したことから，国家責任が発生します。

⑵ 国際義務の違反

すでにみたように，「国際義務の違反」は国際違法行為の成立要件の1つです（国家責任条文2条）。国際義務に違反したか否かは国際法によって規律され，国内法上で合法か否かによっては決まりません（国家責任条文3条）。

⑶ 違法性阻却(そきゃく)事由

以下の6つの根拠のいずれかが存在する場合には，違法性が阻却されます（すなわち，国際違法行為が発生しないものとみなされます）。

① **同意**がある場合

国が他国による特定の行為の遂行にたいして与えた有効な同意がある場合には，違法性が阻却されます（国家責任条文20条）。たとえば，通常，他国の軍隊が自国領土内に侵入してそのまま滞在していれば，武力行使禁止原則や領土保全原則に違反することになりますが，アメリカ軍が日本に駐留しているのは，日本の同意（日米安保条約と日米地位協定）があるためです（第**12**章参照）⇒181頁。このような場合には国際違法行為は発生しません。

② **自衛権**行使の場合

国連憲章に則（のっと）って行われる自衛の合法的な措置である場合には，武力行使であってもその違法性が阻却されます（国家責任条文21条）。自衛権を行使するための要件については後述します（第**12**章）⇒181頁。

③ **対抗措置**の場合

他国の違法行為にたいする対抗措置である場合，違法性が阻却されます（国家責任条文22条）。

④ **不可抗力**の場合

義務の履行を不可能とするような，国の支配を超えた抗（こう）しがたい力や予見不能な外的事情による行為である場合，違法性が阻却されます（国家責任条文23条1項）。たとえば，悪天候の際に軍用機が他国の領空を侵犯するような場合です。

⑤ **遭難**（distress）の場合

「遭難」という日本語表現は誤解を与えやすいですが，つぎのように考えましょう。違法行為があった場合であっても，自己の生命などを守るためにほかの合理的な方法がない場合には，違法性が阻却されます（国家責任条文24条1項）。

⑥ **緊急避難**の場合

重大かつ差し迫った危険から根本的利益を守るための行為であり，当該国にとって唯一の方法である場合には，違法性が阻却されます（国家責任条文25条）。緊急避難は極端に例外的な状況でのみ認められると考えられます。また，濫用の危険がありますので，その要件は厳しく設定されています。なお，国際投資仲裁では，アルゼンチンの金融危機に際して，違法性を阻却するために緊急避難が援用されましたが，関連する仲裁廷の判断の多くでしりぞけられています。

3 責任国の義務

(1) 救済と賠償

国際違法行為から国家責任（賠償義務）が生じることになりますが，いきなり賠償というのではなく，以下にみるように違法行為に付随する義務があります。ここでは全体を「救済」とよんでおきます。

第1に，国際違法行為が継続している場合（「継続的違法行為」といいます），**違法行為の中止**が求められます（国家責任条文30条(a)）。たとえば，違法占領のような場合，まずはこの違法行為（占領）を中止する義務があります。

第2に，場合によっては，国際違法行為の**再発防止の確約**を与えることが違法行為国に求められます（国家責任条文30条(b)）。確約を与えることが求められる状況や要件について，国際判例ではいまだ明らかになってはいません。

第3に，違法行為国は，国際違法行為により生じた被害にたいして**賠償**（reparation）を行う義務を負います（国家責任条文31条）。この賠償には3つの類型があり，これを組み合わせて賠償が行われます。

このように，「救済」という場合，うえの3つ目のものをさすことが多いですが，状況や場合により，第1と第2のものが求められる場合があります。たとえば，ICJ南極捕鯨事件2014年判決（⇒73頁 **Column ⑮**）では，日本の国際違法行為（国際捕鯨取締条約の違反）が認定されましたが，ICJは科学調査捕鯨のための特別許可の取消しを命じたにとどまります。うえの分類でいえば，継続的違法行為の場合の違法行為中止命令にあたります。すなわち，賠償の判断は示されていないことになります。

賠償にはつぎの3つの形態があります。いずれか1つだけで賠償となる場合もありますし，2つ以上を組み合わせて賠償となる場合もあります。

① **原状回復**（restitution）

違法行為国にたいして，国際違法行為が生じる前に存在した状態を回復することが求められます（国家責任条文35条）。ただし，人命が損失したような場合には，原状回復は不可能ですので（死人を生き返らせることはできません），原状回復は求められません（同条(a)）。また，原状回復を求めると均衡を失する場合

POINT

救済の類型

救済		
	違法行為の中止（国家責任条文 30 条(a)）	
	再発防止の確約（国家責任条文 30 条(b)）	
	賠償（国家責任条文 31 条・34 条）	原状回復（国家責任条文 35 条）
		金銭賠償（国家責任条文 36 条）
		精神的満足（satisfaction）（国家責任条文 37 条）

も同様です（同条(b)）。たとえば，他国の船を沈没させた国に対して，その船の引揚げを命じるような場合です。

② **金銭賠償**（compensation）

違法行為により生じた損害を金銭換算して，加害国から被害国に当該金額を支払うことです。違法行為が存在しなければ（被害国が）得ていたであろう利益（「逸失利益」とよばれます）が含まれます。たとえば，ある工場の操業停止が国際法に違反していたような事例では，この違法行為がなければこの工場が生み出していたであろう利益が逸失利益です。また，通常は利子（複利）が適用され，賠償支払いが滞ると支払額も増えることになります。賠償金額の具体的な計算方法については，国際裁判の判例はいまだ十分には蓄積していません。これは，裁判所が金銭賠償を命じる事案であっても，具体的な算定まで行わないケースが多いからです。

③ **精神的満足**（satisfaction）

「満足」という日本語表記ではわかりにくいかもしれませんが，違法行為国が被害国にたいして精神的に満足を与えることです（国家責任条文 37 条）。たとえば，国際違法行為を行ったことを認めること，遺憾の意を表明すること，公式の陳謝などです。国際判例では，加害国（違法行為国）による国際違法行為の存在を裁判所が認定し，この違法性の認定（宣言的判決）をもって被害国にたいする精神的満足とみなすものがあります。

⑵ 対抗措置

他国の違法行為にたいする対抗措置の場合，違法性が阻却されます（国家責任条文 22 条）。対抗措置として正当化するためには，先行違法行為と関連国の権利の重大性を考慮して，受けた被害と均衡するものでなければいけません（国家責任条文 51 条）。また，対抗措置には武力行使は含まれません（国家責任条文 50 条 1 項(a)）。

4 国際請求（外交的保護請求）

原則として，被害国が加害国の国家責任を追及します（国家責任条文 42 条）。ただし，第 1 次的被害者が自国民の場合に，外交的保護が用いられます。

外交的保護のメカニズムを理解するために，以下の例で考えてみましょう。

⑴ 外交的保護のメカニズム

A 国の国民 a が B 国内で（B 国による）国際違法行為によって被害を受けたとしましょう。この場合，当然 a は B 国の国内でなんらかの救済方法を探すことになりますが（通常は裁判所において賠償請求を提起することになります），なかなかうまくいかないことが多いのです。この場合，a の国籍国である A 国（被害国）が B 国（加害国）にたいして，（a のかわりに）救済を求めます。これを**外交的保護請求**といいます。この請求が認められるための要件は，国籍継続と国内救済完了の 2 つです。

まずは外交的保護請求にいたるまでの経緯を説明しましょう（次頁の POINT をみてください）。① A 国籍の a 氏（会社の場合は a 社でも構いません）が B 国内にいます。②この場合，a 氏は B 国内では外国人ですので，慣習国際法上，B 国は a 氏が危害を加えられないようにする国際法上の義務を負います。これを**相当の注意義務**とよびます。その内容については多くの議論がありますが，原則として B 国の経済発展度などに大きく依存します。③ B 国籍の私人 b 氏が a 氏にたいして危害を加えた場合，（状況によって）B 国は相当の注意義務に違反することになります。④ a 氏がまずは B 国の裁判所で損害賠償請求を提起しますが（国内救済手段の利用），うまくいかないことがあります。この場合，

POINT

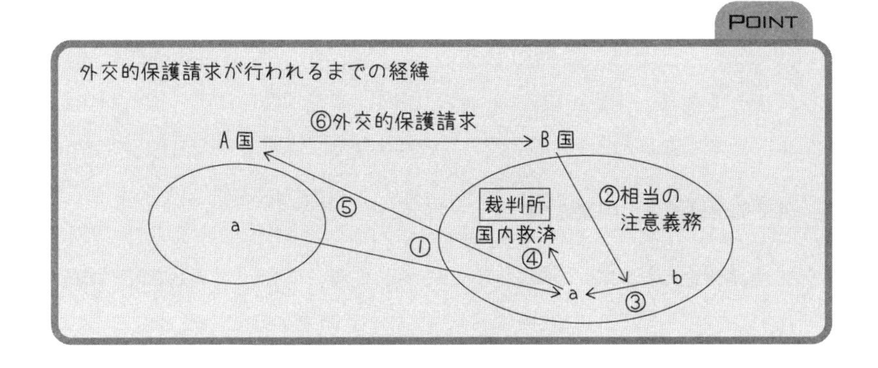

⑤a氏は自国のA国に支援を依頼します。⑥それを受けてA国がB国にたいして，責任を追及します。これが外交的保護請求です。なお，⑤でa氏がA国に責任追及を依頼していますが，法的には外交的保護請求の権利はA国がもっていますので，a氏の依頼を無視しても問題ありません。逆に，a氏が依頼していない場合に，A国が勝手に外交的保護請求を行っても問題ありません。

(2) 外交的保護請求の要件

さて，外交的保護請求が認められるための要件はつぎの2つです。

1つ目は，**国籍継続**要件です。a氏は，被害を受けたとき（上記の③）からA国が外交的保護請求を行うまで（上記の⑥）の期間中，A国の国籍を継続して有する必要があります（国家責任条文44条(a)）。かりに国籍変更を認めてしまうと，たとえばa氏が被害を受けたあと，A国籍を放棄して別のC国（強国）の国籍を取得することによって，C国がB国に介入（外交的保護請求）することが可能となってしまいます。このように，強国（C国）の介入を排除するのが国籍継続要件の目的です。

2つ目は，**国内救済完了**要件です。A国が外交的保護請求を行う前に，a氏がまずB国内で利用できる救済手続（通常は裁判手続となります）を利用し尽くしておく必要があります（国家責任条文44条(b)）。上のPOINTでみた案件は，元々はa氏とb氏の間の問題ですので，（A国がいきなり出てくるのではなく）B国が自国内で処理できるのが望ましいのです。かりに，B国内での救済の完了が不要であるとすると，a 氏が損害を被ったあと，A 国がすぐに出てきてしまうため，本来は a 氏と b 氏の間の紛争であったのが，A 国と B 国の間の国家間紛争になってしまいます。このように，国内救済完了要件は，外国人問題から生じた問題が国家間紛争にエスカレートするのを回避するのが目的です。

(3) 外交的保護請求の国家性

外交的保護請求の法的な性質において重要な点が，外交的保護請求権の**国家性**です。すなわち，外交的保護権は私人（a 氏）を保護するためのものですが，あくまでも国家の権利ですので，A 国の権利であって，a 氏の権利ではありません。この点で問題となるのが**カルボー条項**です。中南米諸国（上記では B 国です）は a 氏との間の契約のなかに特殊な条項を設け，契約上の紛争解決を自国内の手続に限定しようとしました（すなわち，A 国による外交的保護の行使を排除するものです）。これをカルボー条項といいます。これは，a 氏と B 国の間の契約紛争に A 国（欧米諸国）が介入するのを阻止することを目的としたもので，B 国の思惑に従ったものです。ただし，上記のように外交的保護権は A 国が有する権利ですので，a 氏と B 国の間で勝手に放棄することはできないと解されます。

5 国家責任法の多辺化

伝統的な国家責任法が**二辺的関係**（A 国と B 国の間の関係）を念頭においていたのにたいして，現代国際法における国家責任法では，**多辺的関係**が取り込まれるようになっています。国際社会における国家間関係の緊密化を示すと同時に，**国際社会の共通利益**という考え方が背景にありますので，大変重要な現象といえるでしょう。以下ではこうした多辺的関係を根拠づけるための 3 つの法的な概念についてみてみましょう。

① **国際犯罪**

国際違法行為は国際義務の違反であると説明しましたが，国家の**国際違法行為**を**不法行為**と**国際犯罪**に分けるという案が ILC で出されました（国家責任条文の第 1 読草案 19 条）。これは，同じ違法行為であっても，国内法上で「不法行為」（民事法）と「犯罪」（刑事法）が区別されているのに着想を得ています。ただし，国内刑法上の「犯罪」概念を国際法に導入することは難しく，最終的にこの案は採用されずに終わりました。現在，条約などで「国際犯罪」と規定されているのは，国家の国際犯罪ではなく，個人の国際犯罪ですので，注意が必要です（第**9**章⇒135頁）。

② 強行規範

条約法条約（第**3**章⇒31頁）では，強行規範に抵触する条約は無効とされています（条約法条約53条）。このように，強行規範は通常の条約に優位する国際法規範であるということができます。この法概念が国家責任法のなかにも取り込まれました。すなわち，強行規範の違反にたいして，諸国がそこから生じた状態を法的に認めないという義務が課されます（国家責任条文40条・41条）。これは，ICJのナミビア事件の勧告的意見（第**3**章⇒31頁）の内容を取り入れたものです。

③ 対世的（たいせいてき）義務

ある国が国際社会のすべての国にたいして負う義務を対世的義務とよびます。人権条約上の義務を考えるとわかりやすいでしょう。人権条約において，締約国のA国は自国内にいるa氏の人権を保護する義務を国際法上で負いますが，かりにA国がa氏の人権を侵害し，人権条約に違反した場合，この義務違反はだれ（どの国）にたいする義務違反になるのでしょうか？　この場合，A国は（A国以外の）すべての締約国にたいして人権保護義務を負っていると考える必要があります。これが**対世的義務**（条約に依拠している場合は，当事国間対世的義務とよばれます）です。国際環境法や軍備管理法など，多くの分野で対世的義務が存在すると考えられます。問題となるのは，A国が対世的義務に違反した場合，（国際違法行為ですので当然に）国家責任が発生することになりますが，どの国にたいして責任を負うのか，さらにどの国が責任を追及できるのか，という点です。詳しくは次頁の②でみます。

以上のように，国際法上の1次規則が多辺的な性質を有するようになるのにともない，2次規則である国家責任法もその性質に変化が求められてきたということができます。

2 紛争解決法

1 全 体 像

国家間で紛争が生じた場合，**武力を用いた解決は国際法上禁止**されています。国連憲章 2 条 4 項に規定されている**武力行使禁止原則**です（⇒181頁 第**12**章）。その結果，紛争解決のためには，**平和的解決手段を用いるしかありません**（国連憲章 2 条 3 項。国際紛争の平和的解決義務といわれます）。ただし，平和的解決義務といっても，どのような手法や手段を用いるかまでは決められていません。紛争当事国が自由に選択し，決定することができます。国連憲章 33 条にその選択肢が例示されています。実際の紛争解決では，**政治的解決手法**（交渉，仲介・周旋（しゅうせん），審査，調停）と**法的解決手法**（仲裁裁判，司法裁判）を織り交ぜて利用することになります（POINT）。

2 政治的解決手法

以下で 4 つの政治的解決手法をみてみましょう。

① 交　渉

国際紛争の大部分は，国家間の外交交渉（だけ）を通じて解決されます。この意味で交渉は紛争解決の基本的手法です。実際に，交渉はほかの紛争解決手法に先立って用いられます。条約によっては，交渉をしないとほかの手続に進

POINT

紛争の平和的解決手法

	種類	法的な性質
政治的解決手法	交渉，仲介・周旋，審査，調停	判断結果に法的拘束力がない
法的解決手法	仲裁裁判，司法裁判（ICJ など）	判断結果に法的拘束力がある（たとえば，ICJ 判決）

めない，と規定するものもあります（交渉前置義務といいます）。ただし，「つねに交渉が最初」というわけでもありません。たとえば，ICJ の判決では，判決内容をもとにして訴訟当事国で交渉して最終的に解決するように命じるものがあります（交渉命令判決といいます）。

② **仲介・周旋**

紛争当事国の2国間の交渉では，大抵の場合はすぐに行きづまります。そのため，どうしても他国（第三国）の介在が求められます。**仲介**は，第三国が解決案を提示する場合です。**周旋**は，第三国が交渉環境を提供することです。

③ **審　査**

国際紛争では，法的な問題ではなく，むしろ事実の問題がネックになることが多いです。すなわち，「そういう事実はある（または，ない）」という点の争いです。こうした紛争の場合，審査委員会を事件ごとに設置して，そこで事実認定だけをお願いして決定してもらうという方法があります。これが審査です。法的な判断には踏み込まないのが原則です。

④ **調　停**

審査と異なり，事実認定と法判断の両者を含んでいることから，国際裁判判決に近いものですが，調停の判断結果については法的拘束力がありません。また，合意形成を主眼とした手続になっています。このような中途半端な性質から，僅（わず）かの例をのぞいて，調停を利用する国家はほとんどありませんでした。なお，国連海洋法条約には強制調停の手続が定められています（国連海洋法条約297条・298条）。実際に，東チモールとオーストラリアの間で国連海洋法条約にもとづく調停手続が行われ，2018年に紛争解決に至りました。

3　法的解決手法

政治的解決手法の場合は判断結果に法的拘束力がありません。仲介や調停の場合，そこで出てきた結論を紛争当事国が無視しても法的にはなにも問題はありません。これにたいして，法的解決手法（仲裁裁判と司法裁判）では，法的拘束力を有する「判決」が下されます。

① **仲裁裁判**

仲裁裁判は事件ごとに設置されます（*ad hoc* と表現されます。たとえば，「*ad*

hoc に設置された仲裁」といいます)。仲裁裁判では，すべてのことがらを当事国が合意にもとづいて決めます。すなわち，仲裁手続，仲裁人選任，適用法規，付託事項をすべて当事国が決定します。

② **司法裁判**

仲裁裁判と異なり，司法裁判は恒常的な組織を有しています。たとえば，PCIJ 規程や ICJ 規程のように組織の設立条約において手続などがすべて事前に定められており，訴訟当事国が自由に決めることができません。このような裁判所を「常設裁判所」とよびます（PCIJ，ICJ，ITLOS（国際海洋法裁判所）などがこれに該当します)。

歴史的には，国際裁判は仲裁裁判から司法裁判へと発展してきました。これは「常設化」の歴史といってよいでしょう。ただし，司法裁判が発展したことによって，仲裁裁判がなくなったわけではありません。今日でも数多くの仲裁裁判が行われています。POINT のように，仲裁裁判と司法裁判では根拠法や適用法の点で違いがみられます。

POINT

仲裁裁判と司法裁判の比較

	仲裁裁判（*ad hoc* 仲裁）	司法裁判（例：ICJ）
根拠法	仲裁合意	ICJ 規程（＝国連憲章)，ICJ 規則
適用法	当事者が決める	国際法（ICJ 規程 38 条 1 項）
管轄権	当事者合意で付託しており，問題にならない	同意原則（ICJ 規程 36 条） 管轄権の有無が争いになる
手続	当事者で決める	規程と規則で規律
判決	法的拘束力あり	法的拘束力あり 執行手続あり（国連憲章 94 条 2 項）

4 国際裁判手続（特に ICJ について）

つぎに，国際裁判手続の典型例である ICJ（国際司法裁判所）の手続をみてみましょう。

① **基本構造**

ICJは国連の「**主要な司法機関**」です。また，ICJの運用根拠となるICJ規程は国連憲章と不可分の一体をなしています（国連憲章92条）。そのため，国連加盟国は自動的にICJ規程当事国となります（国連憲章93条1項）。ただし，国連加盟国であればICJの管轄権を認めている，ということにはなりません。また，ICJ判決には拘束力が認められており（ICJ規程59条，国連憲章94条1項），その履行義務は国連憲章上の義務となります。すなわち，ICJ判決の効力は，他の国際法上の義務に優越することになります（国連憲章103条）。その結果，たとえばICJ判決と他の国際裁判所の判決の結論が矛盾した場合は，前者が優越します。なお，ICJの手続を定めるために，ICJ規則が設けられています（ICJ規程30条1項）。

② **適用法**

ICJにおける適用法は，国際条約，国際慣習，法の一般原則の3つです（ICJ規程38条1項）。

③ **法　廷**

ICJの裁判官は15名です（ICJ規程3条1項）。（自国の）国籍裁判官を有さない訴訟当事国は，特別選任裁判官（judge *ad hoc*）を任命することができます（ICJ規程31条2項）。たとえば，南極捕鯨事件では，日本は国籍裁判官（小和田判事）を有していましたが，オーストラリアは国籍裁判官がいないため，特別選任裁判官を任命しました。

④ **仮保全措置**

ICJの場合，通常は本案判決を得るまでに数年を要します。そのため，手続進行中に，問題となっている権利が侵害され，取り返しのつかないことになる危険があります。そこで，権利が回復不可能な損害を被るような緊急の場合に，ICJが仮保全措置を命じることができます（ICJ規程41条1項）。仮保全措置命令には法的拘束力が認められていますので（ICJラグラン事件2001年判決），一方的提訴を行う原告国にとって有効な訴訟手続です。

⑤ **裁判管轄権**

国家の権限を意味する「管轄権」とは異なるものですので，注意が必要です（第**2**章参照）⇒15頁。国際裁判では管轄権の有無が大きな争点となります。ICJの管轄権は合意管轄です。すなわち，**原告国と被告国の間で合意がなければ，管轄権**

が設定されません。管轄権の設定方法は以下の4つです。

(a) 両国が**合意付託文書**（コンプロミ）を締結して共同提訴する場合です。

(b) 両国が締約国である条約に**紛争解決条項**（ICJ付託条項）がある場合です。この(a)と(b)については，ICJ規程36条1項が根拠となります。

(c) 両国が**選択条項受諾宣言**を行っている場合は，一方の国が一方的に提訴すれば管轄権が設定されます（ICJ規程36条2項）。なお，この宣言には，特定の紛争を除外する留保が付されることが多くみられます。

(d) 原告が一方的に提訴して，被告がこれに応訴意思を示す場合（応訴管轄）です。なお，(a)と(d)の場合は，管轄権の有無にかんする問題は生じません。他方，(b)と(c)では，管轄権の有無・範囲についてよく争いが生じます。この場合，被告はICJの管轄権を否定し，あるいは請求の受理可能性を争うことがあります（たとえば，国内救済手続の未完了，原告適格の欠如などです）。ICJが被告の先決的抗弁を認容すると，本案審理に入る前に原告請求は却下されます。

選択条項受諾宣言を寄託している国の数はそれほど多くなく，2022年1月時点で73か国にとどまります。国連安保理の常任理事国5か国のなかでは，イギリスだけです。

Column ⑭ アメリカもICJで提訴される？

ICJニカラグア事件1986年判決（**Column ⑩** ⇒42頁）において，原告ニカラグアは被告アメリカに完勝しました。アメリカはそもそも管轄権判決に異議を唱えており，本案判決も無視しました。国連安保理では，判決履行を要求する安保理決議案が提出されましたが，アメリカは拒否権を行使してこの決議案の採択を阻止しました。さらに，管轄権の根拠であった選択条項受諾宣言も撤回しました。このように，ニカラグア事件のあと，アメリカをICJに引き出す方策は一切なくなったようにみえますが，その後もアメリカを提訴する事案が数多く発生しています。これは，選択条項受諾宣言にもとづくものではなく，多数国間条約および2国間条約のICJ付託条項が利用されたものです。領事関係条約事件（領事関係条約選択議定書），ロッカビー事件（民間航空機不法行為防止条約の紛争解決条項），オイル・プラットフォーム事件（イラン＝アメリカの友好関係条約）がその例です。ICJ付託条項を含む条約が増えるのにともない，ICJが管轄権を設定できる可能性も広がることに注目しましょう。

⑥ 判　決

ICJ 判決には**法的拘束力**があり（ICJ 規程 59 条），上訴ができません（ICJ 規程 60 条）。国内裁判と異なり，1 審終結です。敗訴国が判決を履行しない場合は，勝訴国が国連安保理に事案を付託し，安保理が強制措置を発動して判決を履行させることができます（国連憲章 94 条 2 項）。当然，敗訴国が安保理常任理事国の場合は，拒否権が行使されますので，強制措置は発動されません。なお，ICJ の判決には先例拘束性がなく（ICJ 規程 59 条），当該事件についてしか法的拘束力はありません。すなわち，以前に似たような案件があっても，同じ内容の判決を下すことは ICJ には義務づけられていません。ただし，実際の ICJ 判決では，先例判断が数多く引用されており，実質的に先例を踏襲（とうしゅう）する形になっています。また，部分的ではありますが，「判例法」という表現も用いられています。

⑦ 勧告的意見

ICJ は国家間紛争の解決の一手段と位置づけられます（争訟手続とよばれます）。これとは別に，ICJ には勧告的意見手続が認められています。国連総会および国連安保理は，ICJ にたいして「いかなる法律問題」についても勧告的意見を求めることができます（国連憲章 96 条 1 項）。ほかの機関は，総会の許可を得たうえで，「活動の範囲内」の法律問題について勧告的意見を要請することができます（同条 2 項）。**判決と異なり，勧告的意見には法的拘束力がありませんが，ICJ の重要な先例として位置づけられます**。また，核兵器の使用・威嚇の合法性にかんする勧告的意見（1996 年。⇒198頁 Column ㊴）のように，きわめて重要な判断が示されることもあります。

Column ⑮ 日本と国際裁判

ITLOS（国際海洋法裁判所）や WTO 紛争解決機関をのぞき，日本が ICJ に出廷したのは**南極捕鯨事件**がはじめてです。オーストラリアが日本を相手に提訴し，日本の捕鯨計画（JARPA II）が科学調査捕鯨に該当せず，国際捕鯨取締条約に違反すると主張しました。ICJの判決（2014年3月）では，日本が調査捕鯨（国際捕鯨取締条約8条）であると主張していた捕鯨計画は，その実施手法が目的との関係において合理性を欠くことから調査捕鯨を目的とするものではないとされ，結論として国際捕鯨取締条約の違反が認定されました。

5 紛争解決手続の多様化

国際裁判をはじめとする紛争解決手続は，第2次世界大戦後に大きく多様化しています。具体的には，国際法の個別の法分野（海洋法や刑事法）ごとに裁判所が設立されており，これに付随して利用主体が多様化しています。

① 国家以外のアクターの関与

元々，国際裁判は国家間の紛争解決を出発点にしていました。これに私人が関与するようになるのは，第1次世界大戦後の混合仲裁裁判所がはじめてでした。その後，人権法分野（欧州人権裁判所，米州人権裁判所，アフリカ人権裁判所），刑事法分野（旧ユーゴ国際刑事裁判所，ルワンダ国際刑事裁判所，国際刑事裁判所），投資法分野（イラン＝アメリカ請求権裁判所，国際投資仲裁）が発展し，当事者の一方が個人や企業である国際裁判や仲裁が増加してきました。

② 個別分野ごとの発展

また，「国家間」という点を維持しているものの，国際法の分野ごとに紛争解決手続の設置が進んでいます。たとえば，国際海洋法（ITLOS）や国際通商法（WTO紛争解決機関）などです。

CHAPTER

第6章

領　域

ひと口に国といっても，その大きさは千差万別です。広大な面積を有する国もあれば（最大はロシアで約1,710万㎢），とても小さい国もあります（最小はバチカン市国で約0.4㎢）。このように，国の大きさはさまざまですが，国である以上は一定の空間的な広がり（領域）を有しています。**領土・領水**（主に領海と内水をあわせた概念。⇒91頁第**7**章）・**領空**がこれです。このなかでも，領土（土地）は国の基本的な構成要素です。領水と領空はこれに付随するものととらえることができます。

伝統的に，一定の地上空間とその境界線（国境線）によって，国と別の国が識別されてきました。また，土地をめぐる紛争（領土紛争）は激化しやすく，戦争の主要な原因となってきました。現在でもこうした傾向は残っており，領土紛争は国際紛争のなかでも最も解決が困難な紛争の1つです。日本も例外ではなく，現在でも竹島，尖閣諸島，北方領土といった解決の難しい領土問題をかかえています。

本章では，まず領土について勉強します（「海洋・空・宇宙」は⇒91頁第**7**章で扱います。また，「国家」そのものについては⇒1頁第**1**章で扱います）。

1 領域の基本原則

1 基本概念

国家の領域は，領土，領水および領空で構成されます。領水は主に内水と領海で構成されます。領空は領土および領水の上部空間のことです。領域は国家の主権が及ぶ地理的範囲を意味しますので，国家権限あるいは国家管轄権との関係で重要な概念です。すなわち，国家は自国領域内においては，自らの国家権力を**管轄権**という形で行使することができます（管轄権については第**2**章 ⇒15頁）。たとえば，領域内で行われる犯罪行為について，領域国は刑法で犯罪と刑罰を定め，犯罪人を逮捕・訴追し，刑に服せしめることができます（刑事管轄権）。他国の領域内ではこうした権限行使はできません。執行管轄権を域外で行使した場合，国際法に違反します（すなわち，他国の管轄権を侵害することになります）。

このように，領域は国家の構成要素の中枢をなしますので，伝統的に，国家は領土と結びつけて考えられる傾向があります。一般に，領土は国民の国家意識のうえでも強い影響力を有していますので，領土問題はナショナリズムに容易に結びつきます。領土紛争が政治・外交的に解決困難となる一因です（竹島や尖閣諸島のような小さな島が国家間の大きな問題になるのをみても，この点がわかります）。

Column ⑯ 「領有権」と「施政権」

「領有権」と似ている概念として「施政権」という概念があります。アメリカによる沖縄返還では，沖縄の「領有権」ではなく「施政権」が日本に返還されました。土地の所有権を意味する「領有権」とは異なり，「施政権」は当該土地における権限行使の権利です（正式には「領域及び住民に対する行政，立法及び司法上のすべての権力」（沖縄返還協定１条）です）。戦後，アメリカは沖縄の「施政権」を有していましたが，沖縄自体は日本の領土ですので，「領有権」は（ずっと）日本にありました。では，尖閣諸島はどうでしょうか？　アメリカは現在，尖閣諸島の「施政権」は日本にあるが，「領有権」については特定の立場をとらない，という不思議な立場を表明しています。尖閣諸島は日本が実効支配していますので，「施政権」は日本にあり，日米安保条約の適用対象内にあるというのがアメリカの立場です。他方，「領有権」にかんしては日中間で問題となっているため，第三国として深入りしないという態度をとっているのです。

2　領土保全原則

国際法には，他国の領土を侵犯してはいけないという原則があります。古くから土地は人間の争いの原因となってきました。同様に，国家間のレベルでは領土をめぐる争いが戦争の原因となってきました。そのため，第2次世界大戦後は，戦争の違法化と同時に，他国の領土を強制的に奪い取る行為も禁止されることになります。たとえば，国連憲章2条4項は武力行使を禁止していますが，なかでも**「領土保全に対する」武力行使が禁止**されることが強調されています（他国の領土を奪うような武力行使は禁止されることになります）。また，武力を行使して他国の領土を奪うような場合だけでなく，他国の領域に許可なく侵入するだけであっても，国際違法行為となります。とくに領空については，無断で領空に侵入すると**領空侵犯**となります。領海の場合は無害通航権がありますので，無断で侵入しただけでは「領海侵犯」という国際違法行為とはなりません。

なお，人民の自決権の延長線上で，少数民族の自決権が認められるという主張があります（少数民族が独立して国家を形成し，本国から分離するケースです）。この場合は，領土保全原則（国家の領土的まとまりを維持する）と自決権原則（領土を分割する）が対立することになります。少数民族の分離独立は領土保全原則に反する，と主張されるのはこのためです（第**2**章）。⇒15頁

3　領域使用の管理責任

領土主権により，国家は領域内で国家権限を行使しうることになります。このことは同時に，ほかの国家が自国内で権限を行使しえないという排他性を有しています（「主権」という概念には，排他性が含まれています）。ただし，領域内

では「なにをしてもよい」,「何者にも邪魔されることなく権限を行使しうる」というわけではありません。国際法上，領域の使用についても一定の制約があると解されています。**領域使用の管理責任**という原則です。この原則は国際判例において認められてきたもので，常設仲裁裁判所パルマス島事件 1928 年判決においてはじめて触れられました。すなわち，領域主権の行使には，領域内にいる他国の国民を保護する責任が付随するという考えです。また，ここから派生した考え方として，**領域国は，他国に損害を与えるような形で私人（自国民）が自国領域を使用することを禁じる義務を負う**と考えられています（トレイル溶鉱所事件仲裁裁判所 1941 年最終判決。⇒151頁 第 **10** 章)。下の POINT で説明すると，A 国は自国内で操業している工場が隣国の B 国に環境汚染を発生させないように注意・管理しておく義務を負うことになります。また，類似の例として，沿岸国には，領海内で外国船舶にたいして損害が発生することを防止する義務があると判断されています（ICJ コルフ海峡事件 1949 年判決)。今日，とりわけ国際環境法の分野でこうした**管理責任**の概念が発達しており，国家はその管轄権のもとにある活動が，他国の環境（または国家の管轄権が及ばない区域の環境）にたいして損害を与えないよう確保する責任を有します（1972 年人間環境宣言，1992 年リオ宣言第 2 原則。環境法については⇒151頁 第 **10** 章)。このように，**領土主権は，自国領域内で国家権限を行使できるという側面に加えて，特定の管理責任を負うという側面がある**ことに注意が必要です。

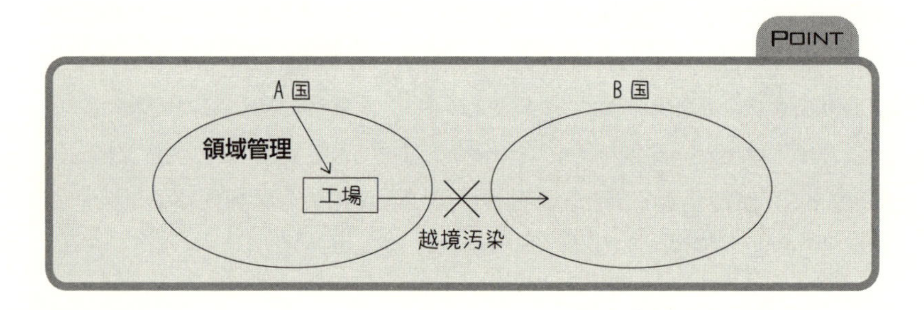

2 領域の取得

伝統的な国際法においては，領域の取得が認められる理由（領域権原）として以下の6つの場合が主張されてきました。

1 割譲（部分的移転）

国家間の合意（領土割譲条約など）によって自国領域を他国に移す場合を**割譲**といいます。領域の一部を移す場合にかぎります（領域の全部を移転する場合はつぎにみる併合となります）。移転の条件はさまざまです。有償の場合（ロシア領アラスカをアメリカが購入した例）や交換の場合（樺太千島交換条約）があります。

2 併合（全体的移転）

割譲と異なり，国家間の合意によって領域のすべてを他国に移転する場合，**併合**といいます。たとえば，1910年に日本と韓国の間で締結された韓国併合条約によって韓国はその全部が日本に併合されました。

3 征　　服

割譲や併合とは異なり，国家間の合意にもとづくものではなく，一国が実力（武力）によって他国の領土を移転する（移転させる）場合を**征服**といいます。征服された側は完全に他国の領土の一部に吸収されることになります。第2次世界大戦後は，武力行使禁止原則（国連憲章2条4項）の確立にともない，国際法上，征服による領域取得は認められないと解されています。

4 先　　占

どの国にも属さない土地を**無主地**（むしゅち）といいます。この無主地を，ある国家が領有の意思をもって実効的に占有した場合，その国家の領域となります。これが**先占**による領域取得です。伝統的国際法では，無主地とはだれも住んでいない土地のことではなく，ヨーロッパ主権国家レベルの権力が確立していない場所と理解されていました。すなわち，アジアやアフリカには実際には多くの人が住んでいましたが，無主地であるとみなされ，占有によって領域取得されました。このように，先占は植民地支配の理論的根拠の1つとなってきたということができます。なお，ICJ 西サハラ事件 1975 年勧告的意見において ICJ は，西サハラの植民地時代の国家実行では，社会的・政治的な組織を有する部族や人民が居住する地域は無主地とはみなされていなかったと判断しています。

5 時　効

1つの国家がほかの国の領域を長期にわたって**平穏**かつ**継続的に**支配した場合，**時効**（取得時効）による領域取得が認められるという主張があります。ただし，取得時効にかんしては議論が多く残っており，そもそも慣習国際法上で確立しているか否か定かではありません。第1に，最も重要な要素である時間的要件（長期といっても，何年間支配すれば領域の取得が認められるのか）について見解が大きくわかれています。第2に，時効の中断の制度も明らかではありません。すなわち，特定の国による支配にたいして異議を申し立てた場合，時効がそこで中断するのか否か，という問題です。第3に，一見したところ時効にみえるようなケースでも，実際には**黙認**による領域取得である場合があります。時効と黙認はよく似ていますが，時効（時間の経過という客観的要因にたいして法的な効果を付与するもの）と黙認（なにも抗議をしないという主観的要因にたいして法的な効果を付与するもの）は法的には別個の概念です。

6 添　付

自然現象や埋め立てによって領域が拡張する場合，**添付**といいます。地震や火山活動によって地形が変化する場合，あるいは河口の土砂が堆積した場合などがこれに該当します。海岸の埋立や人工造成物による領土の拡張を含みます。海底火山活動による添付の例として，小笠原諸島の西之島があります。元々は 0.07 ㎢でしたが，何回かの噴火（1973 年と 2013 年以降）を通じて現在では 2.95 ㎢となっており，現在も日本の領土を拡張しています。

Column ⑰ 南シナ海での人工島建設

現在，南シナ海において中国が環礁（珊瑚礁）の埋立や人工島建設，さらに軍事拠点化を進めており，周辺国（およびアメリカや日本を含む諸国）から批判されています。こうした行為そのものは，国際法上違法なのでしょうか。あるいは，埋め立ててしまえば，自国の領土として主張できるのでしょうか。第1に，かりに環礁が中国の領土であれば，これを拡張することは国際法上なんら問題はありません。自国の領土を拡張して，いろいろなもの（滑走路，対空レーダー，対空ミサイル基地など）を設置することも，それ自体は禁止されていません。ただし，そもそも南シナ海の多くの海洋地形については，領有権の争いが残っていますので，中国領であるということは断言できません。第2に，かりに問題の海洋地形が「低潮高地」（高潮時には水没してしまう海洋地形）である場合，特定の国の領有権は発生しません。2016年7月の仲裁裁判所の判断（南シナ海事件）では，南シナ海の海洋地形はすべて低潮高地または岩（詳しくは第**7**章⇒91頁）と判断されています。「岩」と判断された海洋地形について，かりに中国の領有権が認められるとすれば，これを拡張すること自体は国際法上で禁止されていません。

現代国際法における取得権原の変動

2⇒79頁でみた6つの領域権原は，伝統的国際法において主張されてきたものですが，現代国際法（第2次世界大戦後の国際法）では，以下のように大きな変動がみられます。

1 武力行使禁止原則

現代国際法では**武力行使が禁止**されています（国連憲章2条4項）。したがって，それまでの国際法とは異なり，**武力を用いた領域取得（征服）は認められません**。イラクがクウェートに軍事侵攻して領土を併合したケースでは，国連安保理はこの併合を「無効」と評価し，イラク軍の無条件撤退を要請しています（安保理決議662）。また，割譲は多くの場合，戦争後の講和条約で認められることが多く，強制的な性質を有するものです。この点にかんして，現代国際法では，武力行使にもとづいて締結された条約は無効とされていますので（条約法条約52条），強制的に締結された領土割譲条約は無効と解されます。

2 自決権原則

先占はヨーロッパ諸国による植民地主義の理論的根拠として利用されていました（実際には人が住んでいるのに，無主地なので占有によって権原を取得できるという主張です）。これにたいして，現代国際法では**人民の自決権**が認められるようになり，欧米並（な）みの権力が確立していなくても，現地住民は「**人民**」として認められることになりました（第**1**章 ⇒1頁）。このことは，現代国際法では無主地が存在しなくなることを意味します。その結果，先占が認められる余地はほとんどなくなりました。

Column ⑱ クリミアはだれのもの？

クリミア（クリミア半島）は，伝統的にロシアとのつながりが深い地域ですが，1991年に旧ソ連が崩壊してウクライナが誕生して以来，ウクライナに属していました。ところが，その後，ロシアへの帰属を求める声が強くなり，2014年3月16日に実施された住民投票では，ロシアへの編入が圧倒的多数であったため，翌日，クリミア最高会議はウクライナからのクリミアの独立とロシアへの編入を決定しました。これを受けて，ロシアは自国領土にクリミアを編入する手続をとり，クリミア連邦管区を設置して実効的支配を行いました。これにたいして，ウクライナはクリミアを自国領土であると主張していますので，両国間に紛争が生じています。欧米諸国（日本も含む）は，クリミアの独立宣言はウクライナ憲法に違反しているとしてロシアの主張を認めず，経済制裁を課してクリミアを原状に戻すことをロシアに促しています。国連総会もロシアのクリミア編入を無効とする決議を採択しています。

4 裁判による領土紛争の解決

実際の紛争解決の場（とくに国際裁判）では，紛争国はそれぞれ自国に有利な主張を展開し，論点も複雑になりますので，いずれかの権原だけを根拠として紛争を解決するのは大変困難です。そのため，すでにみた領域権原に加えて，国際裁判では独自の法理が用いられ，発展してきました。その結果，領域紛争の解決がどのような場で行われるのか（国際裁判における解決なのか，それ以外の方法による解決なのか）によって，検討すべき論点が異なるということができます。

1 時際法

領域にかんする国際法には，**時際法**という考え方があります。領域が有効に取得されたか否かは，取得のときに有効であった国際法にもとづいて判断する，という考え方です。たとえば，現代国際法では違法とされる「征服」や強制による「割譲」であっても，取得当時の法に照らして考えれば，（現在の状況として）合法と認められることになります。ただし，常設仲裁裁判所パルマス島事件 1928 年判決はこの点で異なる考え方を採用しています。判決によれば，領域「取得」の際だけでなく，その「継続」も合法でなければならないと述べています（権利の創設と権利の存続を区別し，それぞれについて当時の国際法に照らした判断を下しています）。この場合，領域取得時点で合法であったとしても，その後の法の変動によっては，現在の領域権原が否定される可能性があります。

2 決定的期日

領土紛争が裁判に付される場合，当事国が提出する領有権の証拠の能力を決定づけるための基準日のことを**決定的期日**といいます。すなわち，決定的期日以降の事実や行為は領有権を証明する証拠として認められないことになります。原則として，両国間で紛争が発生した日が基準とされますが，国際判例ではこの点ははっきりと定まっていません。紛争発生日以外にも，たとえば紛争の核となる条約の締結された日，相手当事国の領土先占の日，あるいは決定的期日自体が明確には設定されない例もあります。

3 黙認と禁反言(きんはんげん)

相手国が自国の領域内に侵入し，国家権力を行使しているにもかかわらず，これに抗議をせず，長年放置していた場合，**黙認**とみなされる場合があります。国境線を示す地図に対する黙認が認められる場合もあります。たとえば，ICJプレア・ビヘア寺院事件1962年判決では，カンボジアは地図を根拠に寺院の領有権を主張しました。ICJは，地図にたいしてタイがなんらの反応も示さなかったことから，黙認を与えたととらえ，カンボジアによる寺院の所有を認めました。また，タイの行動により，カンボジアはそれを信じた行動をとってきたことから，タイは今になって地図を承認しなかったと主張することは「排除される」とICJは判断しており，**禁反言の原則**が適用されています。

4 実効性原則

条約や国際法原則が決定的な紛争解決の基準にならないような場合，紛争当事国のいずれの国が当該係争地において継続的で平和的に権限を行使してきたか，という点が重視されます。ICJマンキエ・エクレオ島事件1953年判決では，当事国が裁判所に提出した証拠書類のいずれが**実効的支配**の要素をみたすか，という点が判断基準とされました。このように，裁判手続においては，**紛争当事国の主張のいずれが実効性をより強く有するか，という比較衡量**が行われることがあります。

5 ウティ・ポシデティス原則（現状承認原則）

ラテンアメリカ諸国やアフリカ諸国において植民地が独立する際には，あらたに国境線を引くことが求められます。この場合に国境線として用いられたのが，植民地時代の行政区画です。すなわち，植民地時代に用いられていた行政区画が，独立後も便宜的に国境線として用いられているのです。人工的で不自然な線もみられますが，あらたな領土紛争を回避するため，現状線を承認して用いているのです。これを**ウティ・ポシデティス原則**といいます（アフリカでは，地図のうえでまっすぐな線が国境線として引かれていることがありますが，これもウティ・ポシデティス線です)。この原則は，元々はラテンアメリカで適用されてきたものですが，アフリカ諸国でも独立時に用いられるようになります（アフリカ統一機構憲章がこの原則を認めています)。また，ICJ 国境紛争事件 1986 年判決において，ICJ はこの原則が国際法の基本原則になっているという判断を示しました。

5 日本の領土問題

領土問題は日本にとっても他人事ではありません。北方領土（対ロシア)，竹島（対韓国)，尖閣(せんかく)諸島（対中国）と，日本も領土問題をかかえています。これらを「**紛争**」というか否かは，重要な外交的立場にかかわりますので，注意が必要です。たとえば，日本政府は尖閣「紛争」の存在を認めていませんし，そもそも「問題」であるとも認めていません（「紛争」の考え方については⇒57頁第**5**章)。また，これらの領土問題について，現時点では決定的に有効な解決手段がないのも事実です。国際裁判における紛争解決を目指す場合（とくに ICJ での解決を目指す場合）は，管轄権が設定できないという難点があります。そのため，日本の領土問題を解決するためには，粘り強い交渉が必要になります。

1 北方領土

「北方領土」は，歯舞(はぼまい)群島，色丹(しこたん)島，国後(くなしり)島，択捉(えとろふ)島の 4 島をさします⇒86頁(**図表 6.1**)。日露通好条約（下田条約。1855 年）において，両国は千島列島と樺(から)太(ふと)（サハリン）の帰属問題を定め，ウルップ島以北の島をロシアに，択捉島以南は日本に帰属することにし，樺太については境界を設けませんでした（共有状態)。その後，両国は樺太千島交換条約（1875 年）を締結し，樺太全島をロシア領と認めると同時に，ウルップ島以北の千島列島全島を日本領としました。さらに，日露戦争後のポーツマス条約（1905 年）において，日本は樺太の南半分を領有することが認められます。こうして，第 2 次世界大戦の時点で，日本は千島列島全島と南樺太の領有権を有していたことになります。

CHART 図表6.1 北方領土

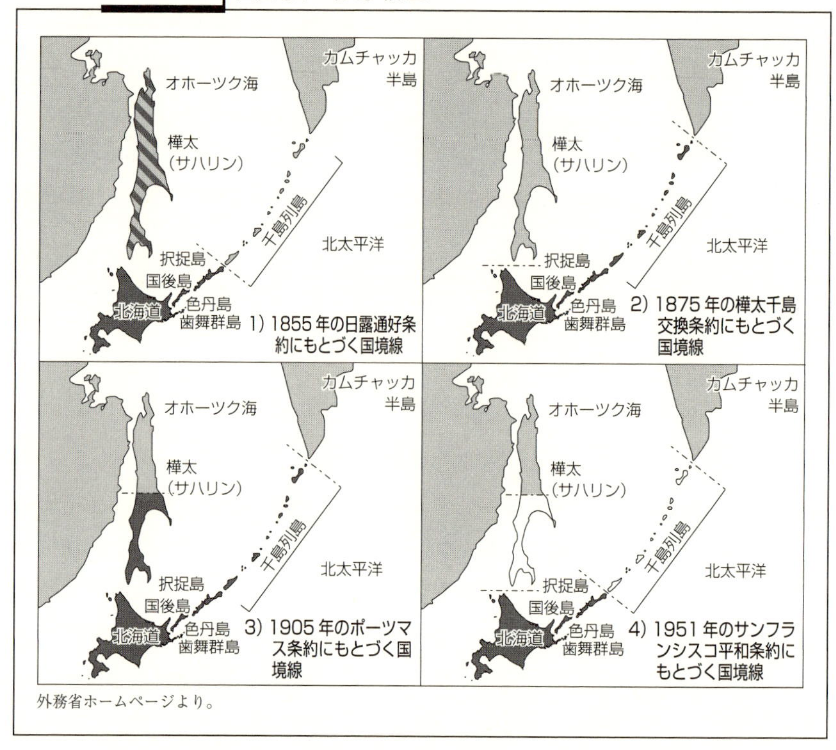

外務省ホームページより。

ところが，大戦末期，ヤルタ会談（1945年2月）において，アメリカ・イギリス・旧ソ連の首脳は，旧ソ連の対日参戦の代償として南樺太の旧ソ連への「返還」と千島列島の「引渡し」について合意しました。これに従い，1945年8月に旧ソ連は日ソ中立条約（1941年）を破って対日参戦し，上記の島のすべてが旧ソ連によって占領されました。戦後，1951年のサンフランシスコ平和条約において，日本は「千島列島」と樺太南部への領土権を「放棄」しました（サンフランシスコ平和条約2条(c)）。ただし，旧ソ連はサンフランシスコ平和条約への署名・批准を行いませんでした。北方領土問題にかんしては，日ソ共同宣言（1956年）により，日ソ平和条約が締結されたのちに，歯舞群島・色丹島の2島が実際に引き渡されることとされました（日ソ共同宣言9条）。

論点は多岐に渡りますが，以下のものが重要です。第1に，放棄された「千島列島」がどこをさすのかが問題になります。現在，日本政府は，歯舞群島・色丹島は北海道の一部であり（当然に日本の領土），国後島・択捉島は日露通好

CHART 図表6.2 竹　島

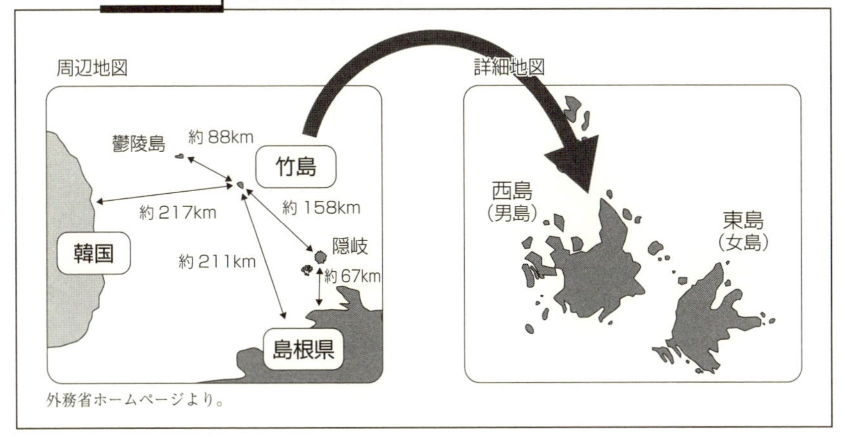

外務省ホームページより。

条約以来一貫して日本の領土であり,「放棄する」対象とはなりえないという見解を示しています（固有の領土論）。第2に，カイロ宣言（1943年）などで，連合国は戦後の領土処理の方針として領土不拡大原則を確認していました。この点で，条約によって日本に平和的に帰属したものと考えられるため，旧ソ連による軍事占領は，領土不拡大原則に反するということができます。

2 竹　島

日本政府は，1905年に竹島（韓国名は独島）を島根県の所管に入れることを決定し，その後，実効的支配を続けていました（図表6.2）。ところが，戦後の1952年に韓国・李承晩（りしょうばん）大統領が独自の水域（李承晩ライン）を設定し，日本漁船の立ち入りを禁止しました（この水域のなかに竹島が入っています）。さらに，1954年に韓国が実力占拠し，今日もこれを続けています。竹島をめぐる法的な論点は以下のとおりです。第1に，サンフランシスコ平和条約において竹島は日本が「放棄」した領土のなかに入っていません。第2に，日韓交換公文（こうぶん）（1965年）では，外交ルートを通じて解決されえない紛争については，調停による解決に付すことが定められていますが，韓国側は，竹島問題は交換公文にいう「紛争」ではないという立場をとっています。第3に，日本と韓国は1996年に国連海洋法条約を批准しますが，それにともない，両国は日韓漁業協定（1998年）を締結します。これにより，竹島の帰属問題を棚上げにしつつ，両国のEEZの境界となる漁業暫定線を引き，竹島周辺には，両国国民が相互に漁業活動に従事することができる「暫定水域」を設置しました。日本政府は，何度か竹島紛争を ICJ に付託しようとしましたが，いずれも成功していません（韓国政府に共同提訴を提案していますが，断られています）。

3 尖閣諸島

日本政府は，尖閣諸島が「日本固有の領土」であると述べており，領土問題は存在しないという態度をとっています（**図表 6.3**⇒89頁）。明治政府が現地調査を開始し，中国（清朝）をはじめどの国の実効的支配もないことを確認したうえで，1895 年に沖縄県の所管に組み込む措置をとったと説明しています。すなわち，**無主地の先占**といっているのです。第 2 次世界大戦後，尖閣諸島は沖縄を含む南西諸島の一部としてアメリカの施政権下におかれ，1972 年の南西諸島返還にともない，日本に復帰しました。日本への復帰の直前，1971 年に，中国が尖閣諸島の領有権を主張しはじめます。その前の 1968 年の海底調査によって，東シナ海の大陸棚に多くの石油資源が埋蔵されている可能性が報告されています。1992 年に，中国は領海法を制定し，尖閣諸島が中国の領土の一部であることを明記しました。日本政府はこれに抗議を行い，中国の領有権を認めないという立場を示しています。中国政府は，尖閣諸島にたいして歴史的権原を有すると主張し，日清戦争を通じて日本が不当に奪い取ったと主張しています。なお，1895 年の下関条約（日清戦争の講和条約である日清講和条約）の交渉過程において，尖閣諸島の帰属問題が議論された形跡はありません。

残念ながら，上記のいずれの領土問題も国際裁判（仲裁裁判あるいは司法裁判）で解決するのは困難な状況です。ロシア・中国・韓国はいずれも ICJ の選択条項受諾宣言を寄託しておらず，個別の裁判付託合意を締結することも考えられません（なお，尖閣諸島については，日本側も「紛争」および「問題」を認めておらず，国際裁判で解決すべきテーマとはなりえません）。したがって，原則として交渉による解決を目指すしか方策はありません（なお，国際裁判以外の紛争解決手法については第 **5** 章⇒57頁）。

CHART 図表 6.3 尖閣諸島

外務省ホームページより。

CHAPTER

第7章

海洋，南極，空，宇宙

第**6**章でみたように，基本的にはいずれかの国家の領域（領土）とされる陸においてだけでなく，人々は，海においてもさまざまな活動をしてきました。今日において，そのような海での活動を規律する国際法（海洋法）の中心となっているのが，「海の憲法」とよばれることもある国連海洋法条約です。国連海洋法条約は，海を，公海と領海という伝統的な２区分よりも細かく，公海・領海・接続水域・大陸棚・排他的経済水域・深海底などの海域にわけたうえで，それぞれの海域に適用されるさまざまな規則を定めています。

航海を通じて19世紀前半に南極大陸が発見されてからは，南極大陸の領有や資源開発などの問題も提起されてきました。また，人々が活動を行う場は，空や宇宙にまで広がっています。

本章では，海洋や南極，空，宇宙にはどのような国際法があるのかについて説明します。

1 海洋にかんする国際法の展開

1 海洋の自由の確立

陸とは違い，海を国家が領有できるのかどうかについては，長く争われてきました。大航海時代においては，一方で，当時の海洋大国であったスペインとポルトガルが条約を結んで大西洋や太平洋の領有を主張しましたが，他方で，イギリスやオランダがそれに反対しました。その後，イギリスは，自国周辺の海について漁業を独占するために「イギリスの海」としての領有を主張するようになります。

17世紀に入り，グロティウスが，すべての人に海洋を使わせても害は生じないということから，海洋の自由を主張し，母国オランダの立場を弁護します（海洋自由論）。これにたいしては，たとえばイギリスのセルデンが，海の支配は可能であり，また，その資源は無限ではないとして反論し（閉鎖海論），海洋の自由をめぐって論争が繰り広げられることになります。

もっとも，セルデンの主張は，「イギリスの海」を弁護するものであって，かつてのスペインやポルトガルのように，広い海全体の領有を認めるものではありませんでした。このような論争を経て確立するようになったのが，一方で，国家周辺の狭い海については領有を認めつつ，他方で，それよりも遠くにある広い海については自由とするという考え方です。これが，**狭い領海**と**広い公海**という**伝統的海洋法における2元的構造**とされるものであり，**公海の自由の原則**につながるものです。

2 海洋法の法典化

(1) ジュネーブ海洋法条約

1930年に国際連盟が主催した会議では，領海が1つのテーマとして選ばれましたが，条約の採択にはいたりませんでした。第2次世界大戦後，国連国際法委員会の作業をもとにして，領海・接続水域条約，公海条約，公海生物資源保存条約，大陸棚条約の4つの条約（**ジュネーブ海洋法条約**）が，第1次国連海洋法会議（1958年）で採択されました。そのうち，領海・接続水域条約では，領海にかんするさまざまな規定をおく一方で，どこまでが国の領海であるのかについては定められておらず，領海の幅を決めるために1960年に第2次国連海洋法会議が開かれましたが，やはり決着はつきませんでした。

(2) 国連海洋法条約

その後，発展途上国が国際社会の多数を占めるようになると，海洋の自由を強調するジュネーブ海洋法条約の見直しを求める声が高まりました。海洋の自由の考え方は，海洋を使う能力が高い国には有利ですが，そのような能力が低い国には不利だからです。そのような背景で1973年にはじめられたのが，第3次国連海洋法会議です。

第3次国連海洋法会議では，10年にわたって交渉が行われ，4つのジュネーブ海洋法条約にかわるものとして，1982年に**国連海洋法条約**が採択されました。国連海洋法条約は，1つの条約のなかに海洋にかんするさまざまな規則や制度が盛り込まれていて，「**海の憲法**」とよばれることもあります。

国連海洋法条約には，発展途上国の主張が，たとえば，あとでみるような深海底の開発にかんする新しい制度のなかに，かなり取り入れられています。しかし，そのため，逆に先進国による国連海洋法条約の批准が当初はあまり進みませんでした。1994年に深海底制度実施協定を採択し，制度を一部修正することによってはじめて，国連海洋法条約が，日本を含む先進国の多くによっても批准されるようになりました（2021年9月時点で167か国とEUが当事国になっていますが，アメリカは未批准です）。以下では，国連海洋法条約が定めている主な規則や制度を中心にみていくこととします。

CHART 図表 7.1 国連海洋法条約における海域の区分

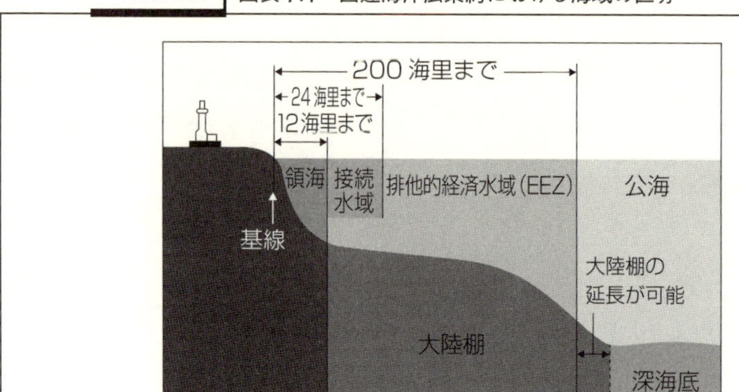

『海上保安レポート 2020』をもとに著者作成。

海域別の国際法の規制

1 公　　海

(1) 公海の領有の禁止

国連海洋法条約は，公海条約を引き継いで，「いかなる国も，公海のいずれかの部分をその主権の下に置くことを有効に主張することができない」と定めています（89 条）。これは，**国が公海の一部を領有することを禁止する**ものです。

(2) 公海の自由

国による公海の領有が禁止されることの裏返しが，**公海の自由の原則**です。**公海は，すべての国に開放され，すべての国や人が自由に使うことができる空間**であり，たとえば**航行の自由**や**漁業の自由**などが，公海の自由に含まれます（国連海洋法条約 87 条 1 項）。

公海を使う自由にかんして注意しなければならないのは，それが完全な自由ではないということです。国連海洋法条約によれば，公海を使う自由は，公海の自由を行使するほかの国の利益に妥当な考慮を払って行使しなければならず

(87条2項)，また，公海は**平和目的**のために使わなければなりません（88条)。そのような観点からは，公海上での核実験や公海に向けたミサイル発射が，「公海を使う自由」の名のもとに認められるかどうか，争いがあります。

Column ⑲ 第五福竜丸事件

1954年3月に，マーシャル諸島（当時，アメリカを施政国とする信託統治地域）のビキニ環礁でアメリカが行った水爆実験によって，日本のまぐろ漁船第五福竜丸が被爆する事件が起こりました（乗組員23名のうち1名が，1954年9月に放射能症のため死亡しています)。その後の日米交渉の結果，アメリカから，国際法違反の責任としてではなく「好意により」200万ドルが提供されることになりました。この問題にかんして当時の日本政府は，公海で核実験を行うことは公海を使う自由の一形態であり，国際法違反ではないため，法的解決ではなく政治的解決を図らざるを得なかったと説明しています。なお，マーシャル諸島は1986年に独立し，2010年にはビキニ環礁の核実験場（写真）が世界遺産として認定されています。

(dpa／時事通信フォト)

(3) 旗国主義

公海の自由の原則に従って，船は**公海を自由に航行する**ことができます。しかし，公海上の船がまったく国の規制を受けないというわけではありません。公海を航行する船は，いずれかの国の旗を掲げることになっていて（その国を旗国とよびます)，旗国の排他的管轄権，つまり，**旗国の管轄権にだけ服する**ことになっています（国連海洋法条約92条1項)。船は，その旗を掲げる権利を有する国の**国籍**をもつことになりますが，船に自国の国籍（自国の旗を掲げる権利）を与えるかどうか，また，どのような条件で与えるかは，自然人の国籍の場合と同様に，その国が定めます（国連海洋法条約91条)。

旗国主義（第**2**章④**3** ⇒22頁）については，かつては「船＝領土」論がその基礎であるとされ，船は浮かぶ領土にたとえられたりもしました。PCIJ ローチュス号事件 1927 年判決にも，そのような考え方があらわれています。PCIJ は，公海での船の衝突事故にかんして，「船＝領土」と考え，被害船の国籍国が，あたかもその国の「領土」で行われた犯罪であるかのように，刑事裁判権を行使することを認めました。しかし，このような考え方は今日では受け入れられていません。国連海洋法条約 97 条は，公海での船の衝突事故については**加害船の国籍国にだけ刑事裁判権**を認めています（この点は公海条約 11 条も同様です）。

国が船に「国籍」を与えるということや，船は移動するのにたいして領土は移動しないという性質の違いを考慮すると，むしろ，同じように国から国籍を与えられ，また，移動するという性質をもつことに着目して，「**船＝国民**」と考えるほうが，旗国主義の説明として適切であるかもしれません。そのように考えれば，公海での船の衝突事件の場合において被害船の国籍国には刑事裁判権を認めない規則について，国による管轄権行使の基礎としての受動的国籍（属人）主義にたいしては否定的な考え方もあること（第 **2** 章④**3** ⇒22頁）と整合的に理解することができます。

(4) 便宜置籍船

もっとも，自然人の国籍と船の国籍との間には，違いもあります。国連海洋法条約では，船と旗国との間に**真正な関係**が存在しなければならないことになっていますが（91 条），実際には，そのような真正な関係は存在しない場合が多くあります。その背景にあるのは，船（の所有者）と旗国との間の，主に経済的な利害の合致です。一方で，船の所有者としては，国籍を得るための登録料が少しでも安いことが望ましく，他方で，国としては，登録料を通じて外資を少しでも多く手に入れたいというわけです。そのような旗国の例としては，パナマやリベリアがあげられます。船の場合は，このような**便宜置籍船**とよばれる船が非常に多いのにたいし，自然人の場合は，このようなケースは例外的です（近年，スポーツの国際大会の出場資格との関係で，別の国の国籍を取得する例を時々耳にしますが）。

便宜置籍船の場合，公海上でその船にたいする排他的管轄権をもっている旗国が，実際には，実効的に管轄権を行使する意思をもたないことがほとんどです。逆にいえば，船の所有者は，国による実効的な管轄権行使を避ける目的で旗国を便宜的に選んでいるというケースが少なくありません。旗国による実効的な管轄権行使を免れる結果として，便宜置籍船による座礁事故などが発生しがちであるといわれます。

1997年にギニアがサイガ号を拿捕（だほ）したことが国連海洋法条約（航行の自由など）に違反するとして，サイガ号の旗国であるセントビンセントが国際海洋法裁判所（ITLOS）に訴えた事件において，ギニアは，サイガ号と旗国との間に真正な関係が存在しないとして，この訴えは受理できないと主張しました。サイガ号の所有者はキプロスの会社であり，サイガ号を借りて使っていたのはスイスの会社であるなど，セントビンセントとのつながりが（セントビンセントに登録されている以外は）なかったからです。しかし，ITLOSは，国連海洋法条約91条が真正な関係を求めているのは，旗国の義務の実効的な実施を確保するためであって，船の登録の有効性を他国が争うための基準ではないとして，ギニアの主張を認めませんでした（ITLOSサイガ号事件1999年判決）。

(5) 海賊の取締り

広い公海にある船について，それぞれの船の旗国にだけ管轄権を認める方法によっては，必ずしも公海の安全は確保されません。そこで，一定の場合には，公海において，旗国以外の国が管轄権を行使して公海上の船を取り締まることが認められています。その古典的・代表的な例が，古くから**人類の敵**とよばれてきた**海賊**の場合です。

国連海洋法条約では，海賊行為は，**私有の船が私的目的で公海上の別の船にたいして行う暴力行為や略奪など**と定義されています（101条）。広い公海上のどこで・いつ行われるかわからない海賊行為について，海賊船の旗国（あるいは，被害船の旗国）にだけ管轄権を認めても，実効的な取締りは期待できません（そもそも海賊船の場合，いずれかの国の旗を掲げていることが期待できません）。そこで，国連海洋法条約では，**いずれの国も，公海において海賊船を拿捕し，船内の人を逮捕できる**ことになっていて，拿捕した国の裁判所は，海賊に科す刑罰を決めることができます（105条）。

なお，公海での暴力行為や略奪であっても，同じ船のなかでの行為は国際法上の海賊行為とはみなされません。同じ船のなかでの行為であれば，別の船が公海を自由に使うことを妨げるわけではないので，旗国に取締りを認めれば十分であるというわけです。

(6) 日本による海賊の処罰

海賊にたいする管轄権の行使は，国際法上の義務として求められているわけではありません。比較的近年になるまで，日本では海賊が処罰されることがなかったのは，そのためです。1987 年に刑法 4 条の 2 が追加され，条約により「罰すべきものとされている」犯罪にも刑法が適用されることになっていますが，国連海洋法条約では，海賊船を拿捕した国の裁判所は，海賊に科す刑罰を「決定することができる」として，処罰が許容されるにすぎないので（105 条），刑法 4 条の 2 を根拠としても海賊を処罰することはできなかったのです。

21 世紀に入ってソマリア沖での海賊が問題となり，2009 年に**海賊対処法**が制定されてようやく，日本でも海賊を処罰できるようになりました。この法律にもとづいて実際に海賊が処罰された例として，東京高裁 2013 年 12 月 18 日判決があります。なお，この事件では，ソマリア沖でアメリカが海賊船を拿捕し，そののち，被告人が日本に引き渡されたため，海賊船を拿捕した国ではない日本の裁判所は管轄権をもたないと被告人は主張しましたが，裁判所は，国連海洋法条約 105 条はいずれの国も管轄権を行使できることを前提としたうえで，拿捕国は他国にたいして優先的に管轄権を行使できることを定めたものであるとして，その主張をしりぞけました。

2 領　海

(1) 領海の幅

領海においては，もちろん公海の自由の原則はあてはまりません。そのため，ある国の領海を別の国や人が自由に使用するというわけにはいきません。領海においては，領土の場合と同様に（(4)⇒100頁でみるように，まったく同じではありませんが）**沿岸国の主権**が認められます。

問題は，そのように沿岸国が主権をもつ**領海の幅**です。18 世紀には，沿岸国の武力が及ぶ範囲，すなわち大砲の射程距離を領海の幅とする考え方が示されました（**着弾距離説**）。18 世紀後半における大砲の射程距離が約 3 海里（1 海里 = 1.852km）だったことから，着弾距離説は，その後，領海の幅を 3 海里とする考え方につながります。日本も，1870 年以来，領海の幅を 3 海里とする立場をとってきました。他方で，3 海里以上の領海を主張する国もあり，領海の幅について，諸国の立場は対立していました。

⇒92頁
1 2 (1)で述べたように，領海・接続水域条約には領海の幅についての規定はなく，領海の幅を決める目的で開かれた第 2 次国連海洋法会議でも決着はつきませんでした。1982 年の国連海洋法条約によってようやく，**国は 12 海里を超えない範囲で領海の幅を決める権利をもつ**ということに合意がなされたのです（3 条）。日本も，この間，1977 年に領海法を制定し，それまでの領海 3 海里の立場から 12 海里の立場に変更しています。ただし，津軽海峡等の特定海域については現在も 3 海里のままとされています（**Column ⑳**⇒101頁）。

(2) 領海の幅を測る基線

海には潮の満ち引きがありますので，領海の幅をどこから測るかも問題になります。この測定のための基準となるのが，**基線**とよばれるものです。国連海洋法条約は，**海岸の低潮線**（潮が最も引いた時の海岸線）を通常の基線としています（5 条）。

他方で，国連海洋法条約では，海岸線が著しく入り組んでいる場合や，海岸線の近くに島がある場合には，適当な点を直線で結ぶ**直線基線**を採用することが認められています（7 条）。これは，ICJ ノルウェー漁業事件 1951 年判決において，ノルウェーが採用した直線基線を ICJ が認めたことがきっかけとなっています。日本も，1996 年の国連海洋法条約批准にあわせて，直線基線を採用しています。

基線よりも陸地側にある水域は**内水**とされ（国連海洋法条約 8 条），領海と内水をあわせて領水とよばれることもあります。内水においては，いくつかの点で領海におけるよりも強い権限が沿岸国に認められます。

(3) 領海における主権の行使と追跡権

沿岸国は，領海において主権をもちますので，**領域主義**（第 **2** 章 4 **2**⇒21頁）にもとづいて，領海内の船にたいして自国の法律を適用し，取り締まることができます。公海におけるような旗国主義はあてはまりませんので，沿岸国が領海で管轄権を行使する場合に，その船の旗国がどこであるかは関係がありません。

領海において沿岸国が主権をもつことの延長として認められているのが，**追跡権**です。沿岸国は，領海内の船が自国の法律に違反したと信じる十分な理由がある場合，その船を領海の外まで，すなわち公海まで追跡して拿捕することができます（国連海洋法条約 111 条）。公海における旗国主義の例外として，領海から追跡してきた国の管轄権が認められるというわけです。逆にいえば，船は，ある国の領海を出て公海に入ったとしても，沿岸国からの追跡や拿捕から免れるわけではありません（公海の自由には，沿岸国の追跡・拿捕からの自由は含まれません)。

(4) 領海における外国船の通航（無害通航権）

領海においては，公海の自由の一部である航行の自由はあてはまりません。したがって，船は，外国の領海を自由に航行するわけにはいきません。問題は，どの程度，自由ではないのかということになります。

領海には沿岸国の主権が及びますが，国連海洋法条約は，「領海に対する主権は，この条約及び国際法の他の規則に従って行使される」と定めています(2 条)。この規定が示唆しているように，領海に及ぶ主権には，領土に及ぶ主権とは異なる面があります。

国際法上，国が外国人の入国を認めるかどうか（認めるとして，どのような条件で認めるか）は，原則として，その国の自由とされています。人の側からみると，人は外国に入国する自由をもたず，入国するためにはその外国の許可が必要になります。これにたいし，船の場合は，一定の条件をみたせば，外国の許可なくその外国の領海に入り，そこを通航することが認められています。領海における**無害通航権**とよばれるものです（国連海洋法条約 17 条)。

無害通航権は，領海制度よりも前に海洋の自由が確立し，実際に船が自由に海を通航していたことが背景となっています。領海の幅にかんする着弾距離説は，領海制度が国の防衛と安全のために認められてきたことを反映するものといえますが，そうだとすれば，沿岸国の平和や安全を害さないかぎりで他国の船が（従来どおり）自国周辺の海を通航することを認めることは，領海制度と決して矛盾しません。また，たとえば，公海を航行して目的地に向かう途中で他国の領海を避けるためだけに航路を変えて遠回りするのは，不便であり，公海の自由（航行の自由）の意義がそこなわれてしまいます。このように，**沿岸国の利益と航行の利益とのバランス**を図りながら確立してきたのが，領海における船の無害通航権であるといえます。

問題は，外国船による領海の通航が無害かどうかを判断する基準です。この点について国連海洋法条約は，「通航は，沿岸国の平和，秩序又は安全を害しない限り，無害とされる」という抽象的な規定をおいたうえで，無害とはみなされない活動を列挙しています（19条）。具体的には，**武力の行使や武力による威嚇，兵器を用いる訓練や演習，漁獲活動，故意のかつ重大な汚染行為**などが，無害とはみなされない活動としてあげられています。無害通航権が外国の軍艦にも認められるかどうかについては，諸国の見解は一致していません。

(5) 国際海峡における外国船の通航（通過通航権）

第3次国連海洋法会議では，国際航行に使われてきた海峡における船の通航が争点の1つとなりました。沿岸国が12海里まで領海の幅を広げた場合，一部の国際海峡では，海峡全体が沿岸国の領海となり，自由に航行できる公海の部分がなくなってしまうからです。国連海洋法条約では，そのような国際海峡において，船に**通過通航権**を認めることにしました（38条1項）。

通過通航とは，航行の自由が「継続的かつ迅速な通過のためのみに行使されること」とされています（同条2項）。一般の領海における無害通航権の場合は，沿岸国は，自国の安全の保護のため不可欠である場合には外国船の無害通航を一時的に停止することができますが（国連海洋法条約25条），国際海峡における通過通航権の場合は，沿岸国は，必要に応じて航路帯の指定などはできますが，通過通航を妨害したり停止したりすることはできません（41条・44条）。

Column ⑳ 日本の特定海域における外国船の通航

たとえば2017年1月に，中国の軍艦が津軽海峡や対馬海峡を通過したものの，日本の領海には侵入していないという報道がありました。これらの海峡に12海里の領海の幅をあてはめると，日本の領海に入らずに通過することはできないことになるのですが，それが可能なのは，(1)で述べたように，日本がこれらの海峡（特定海域）については領海の幅を現在も3海里としているからです（図表7.2）。つまり，特定海域には，公海（厳密には排他的経済水域）における航行の自由の原則があてはまっている部分があるというわけです。この点について日本政府は，海洋国家として，タンカーなどの外国船の自由な航行を保障することが総合的な国益の観点から必要であると説明してきていますが，領海であっても外国船には無害通航権（国際海峡の場合は通過通航権）が認められるわけですから，必ずしも説得力がありません。むしろ，核兵器を搭載した外国の軍艦がこれらの海峡を通過しても，非核3原則（とくに，核兵器を「持ち込ませず」）と矛盾しないようにするためであるという見方もあります。

⇒98頁
⇒105頁

3 接続水域

国連海洋法条約によれば，国は，領海の外側に，基線から24海里を超えない範囲で，**接続水域**を設定することができます（33条）。接続水域において，沿岸国は，自国の領土・領海における**通関・財政・出入国管理・衛生上の法令の違反を防止する**ために必要な規制を行うことができます。接続水域の制度は，領海・接続水域条約（1958年）ですでに導入されていましたが（同条約では12海里まで），日本が接続水域を設定したのは，1996年の領海・接続水域法によってです。

4 大陸棚

(1) 大陸棚制度の歴史的展開

伝統的国際法における公海の自由に含まれると考えられていたのは，主に航行の自由や漁業の自由でした。公海の海底にある資源を開発することは，技術的に不可能であり，それが公海の自由に含まれるかどうかは，想定外だったといえます。

ところが，技術の発展とともに公海の海底資源の開発が可能になると，1945年にアメリカ大統領トルーマンは，公海の下にあり，アメリカの沿岸に接続する大陸棚にある天然資源はアメリカのものであると宣言しました。諸国は，それまでそのような区域の資源開発を行ってきていないこともあり，この**トルーマン宣言**にたいしてとくに反対することもありませんでした。

(2) 大陸棚条約

トルーマン宣言の考え方は，その後，**大陸棚条約**（1958年）に受け入れられることになり，沿岸国は，自国の大陸棚にある**天然資源を開発するため，大陸棚にたいして主権的権利をもつ**と定められました（大陸棚条約2条）。沿岸国が領海にたいしてもつ主権となにが違うのかという点について，主権的権利の場合は大陸棚の資源開発という目的によって制限されるけれども，**その目的の範囲内においては領域主権と違わない**とした日本の裁判例があります（オデコ・ニホン事件東京高裁1984年3月14日判決）。

なお，大陸棚条約における大陸棚とは，第1次的には，領海をこえて，**水深200mまでの海底**を意味しますが，他方で，**海底の天然資源の開発が可能なところまで**大陸棚に含まれるとされています（1条）。そのため，開発技術をもつ先進国の大陸棚は広くなるのにたいし，発展途上国の場合にはそうならないという問題をかかえていました（海に面していない内陸国は，そもそも大陸棚をもちません）。

(3) 国連海洋法条約における大陸棚

国連海洋法条約のもとでも，沿岸国は大陸棚の資源開発のための主権的権利をもつという意味での大陸棚制度は維持されていますが（77条），大陸棚の範囲については，大陸棚条約の場合とは大きく変更されています。大陸棚条約では第1次的には水深を基準としていたのにたいし，国連海洋法条約では，領海の場合と同様に，基線からの距離にもとづいて大陸棚の範囲を決めています。具体的には，**基線から，領海をこえて，200海里までの海底とその下**をさします（76条1項）。

もっとも，200海里までの大陸棚は，**5**(2)⇒104頁でみるように排他的経済水域の一部でもあり，国連海洋法条約のもとでは，とりわけ資源開発の点で大陸棚と排他的経済水域の制度が重複していることになります。他方で，排他的経済水域とは違い，大陸棚は**200海里を超えて広げる余地**が認められていて（76条4項〜6項），その区域については，大陸棚独自の意義があることになります。

200海里を超える大陸棚は，沿岸国の申請と大陸棚限界委員会の勧告にもとづいて認められます（76条8項）。日本は，200海里を超える大陸棚を2008年に申請し，2012年の大陸棚限界委員会の勧告にもとづいて，2014年に200海里を超える大陸棚を設定しました。かつて大陸棚条約について指摘された開発可能性にもとづく大陸棚の延長という問題が，国連海洋法条約のもとでも，少し違った形であらわれているといえるかもしれません。

5 排他的経済水域

(1) 排他的経済水域制度の歴史的展開

トルーマン宣言が大陸棚における天然資源だけを問題にしていたのにたいして，南米のチリやペルー，エクアドルは，それぞれ1940年代から，大陸棚の海底にかぎらず上部水域にも一定の権限を及ぼすことを宣言しはじめました。1952年に，これら3か国は，200海里の範囲で，上部水域においても主権ないし管轄権をもつとする**サンチアゴ宣言**を採択しました。

しかし，大陸棚にかんするトルーマン宣言は比較的早く条約に取り入れられたのにたいし，上部水域も含めて沿岸国の権限を広げようというサンチアゴ宣言は，他国からの反対もあり，すぐには国際社会では受け入れられませんでした。大陸棚の資源開発とは違い，そのような上部水域では，公海の自由の原則に従って，諸国が漁業などをすでに行っていて，それができなくなることにたいする抵抗があったためです。

(2) 国連海洋法条約における排他的経済水域

海洋の自由を強調することが自国に不利となる発展途上国が，国際社会の多数を占めるようになり，ジュネーブ海洋法条約の見直しのための第3次国連海洋法会議の開催が決まった1970年以降は，中南米諸国に加えてアフリカ諸国も領海の外の水域における資源開発の権利を主張するようになりました。このような水域が認められることについては，新しい条約の採択を待つことなく，

CHART 図表 7.2 日本の海域

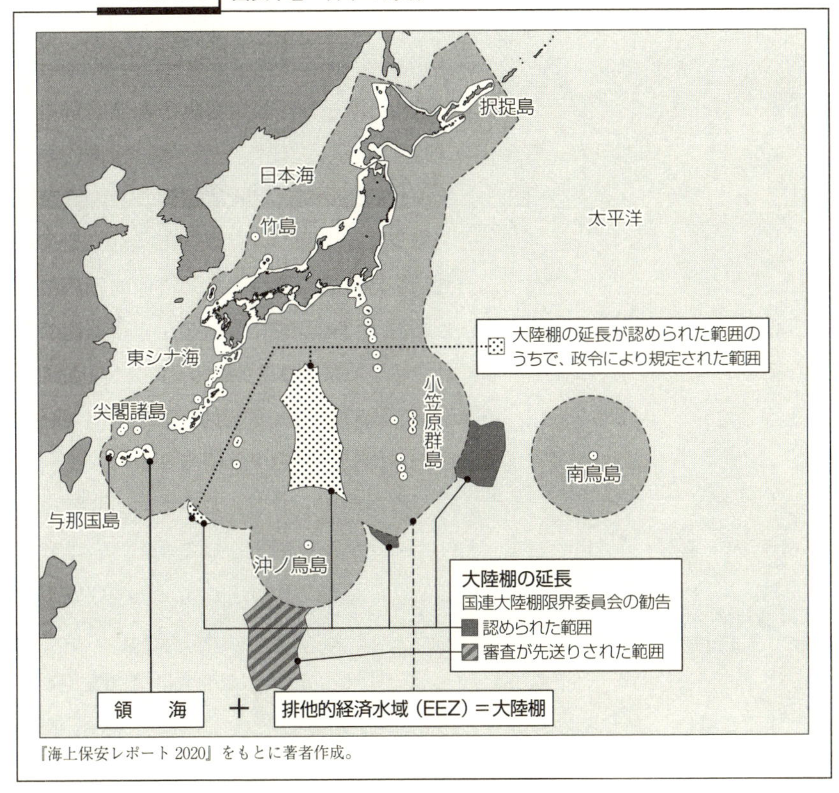

『海上保安レポート 2020』をもとに著者作成。

すでに国際社会の合意ができていて，日本も 1977 年の法律で 200 海里の漁業水域を設定しました。

国連海洋法条約（1982 年）は，沿岸国が**基線から 200 海里までの範囲**で設定することができる**排他的経済水域**（EEZ）の制度を取り入れ（57 条），**沿岸国は排他的経済水域において，「海底の上部水域並びに海底及びその下の天然資源」の探査や開発などのための主権的権利などをもつ**と定めています（56 条）。排他的経済水域というと，上部水域だけをさしている印象を受けるかもしれませんが，実際には海底とその下も含まれていますので，**4**(**3**)で述べたように，⇒103頁200 海里までの海底とその下については，沿岸国の大陸棚と排他的経済水域（それぞれにおける資源開発のための主権的権利）が重なっていることになります。

排他的経済水域における船の航行については，公海と同じ規則が基本的には適用されることになります（58条）。したがって，排他的経済水域においても，航行の自由がすべての船に認められます。

(3) 島

国連海洋法条約は，「自然に形成された陸地であって，水に囲まれ，高潮時においても水面上にあるもの」（121条1項）と定義される**島**について，「……〔121条3項〕に定める場合を除くほか，島の領海，接続水域，排他的経済水域及び大陸棚は，他の領土に適用されるこの条約の規定に従って決定される」としています（同条2項）。したがって，自然に形成されたわけではなく，人工的に建設した人工島の場合，沿岸国（建設国）は，それを基点として排他的経済水域などを設定することはできません。

他方で，国連海洋法条約121条2項で除外ケースとされている同条3項によると，「人間の居住又は独自の経済的生活を維持することのできない岩は，排他的経済水域又は大陸棚を有しない」となっています。したがって，同条1項の条件をみたす島が，同条3項の**岩**に（も）該当する場合には，それを基点とする領海や接続水域の設定はできますが，**排他的経済水域や大陸棚を設定することはできない**ということになります。ちなみに，南シナ海事件2016年判決において仲裁裁判所は，岩（121条3項）である島と区別して，排他的経済水域や大陸棚も設定できる（岩ではない）島を，**完全権原の島**（fully entitled islands）とよんでいます。

なお，自然に形成された陸地が，低潮時には水面上にあるけれども，高潮時には水面上にあらわれない場合は，島の条件をみたさず，**低潮高地**とよばれます（国連海洋法条約13条1項）。低潮高地の場合は，島の場合とは違って，それを基点として領海を設定することもできませんので（同条2項），排他的経済水域の設定が認められないことは，いうまでもありません。

Column ㉑ 沖ノ鳥島

近年，国連海洋法条約121条に関連して問題になっているのが，沖ノ鳥島（写真）です。沖ノ鳥島は，「自然に形成された陸地」であり（補強工事によって浸食を免れているとすれば，自然に維持されているかどうかは争う余地があるかもしれません），「水に囲まれ」ていて（もっとも，水に囲まれていない陸地は地球上にはありませんので，この要件には実際上の意味はありません），「高潮時においても水面上に」ありますので，121条1項の島の要件をみたしているといえるでしょう。ところが，近年になって中国や韓国が，最近では台湾もこれに加わって，沖ノ鳥島は岩であり，日本はそれを基点として排他的経済水域や大陸棚を設定できないと主張するようになっています。沖ノ鳥島が「人間の居住又は独自の経済的生活を維持することのできない岩」であるかどうかについては，評価がわかれるところでしょう。南シナ海事件2016年判決で仲裁裁判所が，この規定の「維持することのできない」という文言を「人の手が加わらなければ維持することのできない」という意味に理解し，南沙諸島の太平島を岩と判断したことに照らせば，同じことが沖ノ鳥島にもあてはまるといえるかもしれません。他方で，かりに沖ノ鳥島の問題が第三者を通じた解決にゆだねられるとすれば，日本は1977年の法律によってすでに沖ノ鳥島の周りに200海里の漁業水域を設定していて，それにたいして近年まで他国からの抗議がなかったことも考慮されることになるでしょう。

（時事）

6 深海底

(1) 深海底制度の歴史的展開

大陸棚条約（1958年）のもとでは，沿岸国の大陸棚は，海底の天然資源の開発が可能なところまで延びることになっていました（**4**(**2**)）⇒103頁。そうなると，開発能力のある先進国は，開発が可能になるにつれて広がる自国の大陸棚における資源開発を通じていっそう豊かになり，発展途上国との格差がますます広がることになります。

1960年代に入って，水深数千メートルの海底にマンガン団塊が大量にあることがわかったことも背景として，このような大陸棚制度にたいして問題提起を行ったのが，1967年の国連総会における**マルタの国連代表パルドの提案**です。パルドは，海底資源が，開発能力をもつ先進国の利益のためにだけ開発されることを懸念して，諸国の管轄権が及ばない海底（深海底）とその資源を**人類の共同遺産**とする新しい制度を作ることを提案したのです。

1970年には，このパルド提案をもとにして，国連総会で**深海底原則宣言**が採択されました。この宣言においても，深海底とその資源は人類の共同遺産とされ，その開発は，発展途上国の利益と必要を考慮しながら人類全体のために行われるべきであるとされています。これが，国連海洋法条約における深海底制度につながったのです。

(2) 国連海洋法条約における深海底制度

⇒103頁
4 (3)で説明したように，国連海洋法条約においては，大陸棚条約の場合と違って，沿岸国の大陸棚が無制限に広がることはなく，基線から200海里までに限定されています（一定の延長は可能）。したがって，諸国の大陸棚よりも外の深海底にある資源の開発をどのような制度のもとで行うかが問題となります。

国連海洋法条約136条は，パルド提案と深海底原則宣言を受け継いで，深海底を「**人類の共同遺産**（common heritage of mankind）」としています（ただし，日本政府は「人類の共同の財産」と訳しています）。いずれの国も，深海底とその資源について主権や主権的権利を主張・行使してはならず，**深海底の資源にかんするすべての権利は，人類全体に与えられ**，国際海底機構は，人類全体のために行動するとされます（137条）。

そのような考え方にもとづいて，深海底における活動について，国連海洋法条約では，沿岸国であるか内陸国であるかにかかわらず，また，**発展途上国の利益や必要に特別の考慮を払いながら，人類全体の利益のために行う**としています（140条）。深海底の資源開発は，国際海底機構の機関である事業体（エンタープライズ）と，国または国の許可を得た個人や会社によって行われますが（153条），同種の資源を陸で産出している国の経済を保護するための生産制限や（151条），会社などから事業体への技術移転の義務（附属書Ⅲ 5条），会社などが開発を行う場合の国際海底機構への高額の支払義務（同13条）などが課されていました。

(3) 深海底制度実施協定

しかし，そのような深海底制度を定める国連海洋法条約に参加することに，先進国は消極的な態度を取り続けました。国連海洋法条約に加わらず，むしろ公海の自由の原則にもとづいて，独自に開発を進めようとするアメリカなどの国もありました。先進国が加わらなければ，深海底の資源開発は実際にはできませんので，先進国の参加を促すために1994年7月に採択されたのが，**深海底制度実施協定**です（国連海洋法条約は1994年11月に発効しました）。この実施協定においては，生産制限や技術移転の義務にかんする国連海洋法条約の規定を適用しないことや，国際海底機構への支払義務を緩和することなどが，定められています。深海底制度実施協定が採択されたことを受けて，ようやく先進国の多くが国連海洋法条約を批准することになったのです。日本も1996年に国連海洋法条約を批准しています。

3 海洋境界画定

1 海洋境界画定の必要性

2つの沿岸国が隣り合っている場合，両国の領海や排他的経済水域，大陸棚の境界をどのように定めるか（陸の国境線をどのように海域に延ばすか）という問題が生じます。また，沿岸国が海を挟んで向かい合っている場合には，両国間の距離次第で，両国が主張する領海や排他的経済水域，大陸棚が重なる可能性があり，それらの境界をどのように定めるか（これらの海域を両国でどのように配分するか）という問題が生じます。

2 領海の境界画定

国連海洋法条約は，領海の境界画定については，沿岸国が隣り合っている場合も向かい合っている場合も，両国間に別段の合意がないかぎり，また，歴史的権原などの特別の事情がないかぎり，いずれの点をとっても両国の基線上の最も近い点から等しい距離にある中間線（**等距離・中間線**）によるべきことを定めています（15条）。これは，領海・接続水域条約が採用していた方法をそのまま受け継ぐものです。

3　大陸棚と排他的経済水域の境界画定

(1)　条約上の境界画定方法

大陸棚条約では，大陸棚の境界画定は，関係国の合意によることを原則としつつ，合意がない場合には，特別の事情がなければ（領海・接続水域条約と同様に）**等距離・中間線**によるべきことが定められていました。しかし，大陸棚の場合は，領海よりもかなり広くなりうることに加えて，海岸の形や資源の実際の分布状況とも関連して，等距離・中間線による境界画定が，一方の国に有利で，他方の国に不利なものと映ることが（領海の場合以上に）あります。等距離・中間線による大陸棚の境界画定が自国にとっては不利であると考える国（たとえば，かつての西ドイツ）は，そのような境界画定方法を定める大陸棚条約を批准しないことになります（⇒42頁**Column ❾**）。

第3次国連海洋法会議では，そのようなことを背景として，大陸棚（および排他的経済水域）の境界画定について，等距離・中間線を支持する国とそれに反対する国との間で対立が生じました。対立する両者の妥協点として国連海洋法条約が採用した方法は，沿岸国が隣り合っている場合であれ向かい合っている場合であれ，排他的経済水域および大陸棚の境界画定は，「**衡平な解決**を達成するために，国際司法裁判所規程第38条に規定する国際法に基づいて合意により行う」というものです（74条1項・83条1項）。

この規定は，それを文字どおりに適用しても具体的な境界線は示されませんので，妥協の産物以外のなにものでもないといえるでしょう。せいぜいのところ，関係国が合理的な期間内に合意できない場合に付すことになっている国連海洋法条約第15部（紛争の解決）の手続に従って（74条2項・83条2項），「衡平な解決」に達することが期待されるにとどまります。

⑵ 国際判例における境界画定方法

大陸棚や排他的経済水域の境界画定が問題となった近年の事件において，ICJは，まずは等距離・中間線を引いてみて，つぎに**衡平**という観点からこれを修正すべき**関連事情**があるかどうかを検討し，そのような事情があれば等距離・中間線を適当に移動し，境界線とする方法を採用してきました（リビア＝マルタ大陸棚事件1985年判決，カメルーン＝ナイジェリア領域・海洋境界事件2002年判決など)。そのような境界画定方法における関連事情として，ICJは，海岸の地理的要因を重視してきました。具体的には，関係国の**海岸線の長さ・形**や，**島の存在**などがあげられます。地理的要因以外の，経済的要因や安全保障上の要請については，ICJグリーンランド・ヤンマイエン事件1993年判決で漁業資源の問題が考慮されたことがありますが，一般的には関連事情として考慮されてきていません。

このような判例法をふまえて，黒海海洋境界画定事件2009年判決においてICJは，つぎのような**３段階の境界画定方法**を示しています。まず暫定的に等距離・中間線を引き（第1段階)，つぎに，衡平な解決に達するためにそれを移動すべき要因があるかどうかを検討し（第2段階)，最後に，そのようにして引かれる線（必要に応じて第2段階で等距離・中間線を移動させたもの）によって，関係国の海岸線の長さの比率と，その線を基準とした場合にそれぞれの国に属することになる海域の比率とが，明らかな不均衡となり，そのために不衡平な結果とならないことを確認する（第3段階）というものです。

このように等距離・中間線をベースとしつつ関連事情を考慮して海洋の境界画定を行う方法は，ICJ以外の国際判例でも採用されてきています。たとえば，仲裁裁判所のバルバドス＝トリニダード・トバゴ排他的経済水域・大陸棚境界画定事件2006年判決や，ITLOSのバングラデシュ・ミャンマー間の海洋境界事件2012年判決があげられます。

⑶ 単一の境界線

国連海洋法条約は排他的経済水域と大陸棚の境界画定方法をそれぞれについて定めていますので，同じ関係国間の排他的経済水域の境界線と大陸棚の境界線が一致するのかどうかが問題となりえます。上部水域と海底（その下を含む）とを区別して，それぞれについて異なる境界線を引くことに関係国が合意すれば，そのような2本の境界線を引くことは，もちろん可能です。ただし，⇒104頁②**5**(2)でみたように，国連海洋法条約上の排他的経済水域には，上部水域だけでなく海底とその下も含まれていますので，排他的経済水域としての海底と大陸棚としての海底の境界線が違うと，2本の境界線の間にある海底とその下にある資源開発についてはどちらの国が主権的権利をもつのかという問題が生じることになります。そのような不都合が起こらないように，国連海洋法条約上は，**排他的経済水域と大陸棚については単一の境界線**が引かれるべきであり，もし関係国の合意があれば，上部水域と海底（その下を含む）とを区別して2本の境界線を引くことができると考えられます。

4 海洋紛争の解決

1 海洋紛争の伝統的な解決方法

海洋にかんする国際紛争といっても，一般の国際紛争との間に性質上の違いがあるわけではありません。したがって，海洋紛争も一般的な国際紛争の解決方法（⇒68頁第**5**章②）に従ってきました。なお，ジュネーブ海洋法条約（1958年）の場合は，紛争の義務的解決にかんする議定書が別に作成されていて，同条約の解釈・適用にかんする紛争が議定書の当事国間で生じた場合には，ICJに付託できることになっていました。

2 国連海洋法条約における紛争の解決方法

(1) 平和的解決義務

国連海洋法条約の解釈・適用にかんする紛争も，平和的手段によって解決しなければならないことはいうまでもありません。国連海洋法条約は，その解釈・適用にかんする紛争について，国連憲章33条に定める平和的手段

⇒68頁
（第**5**章**②1**）によって解決すべきことを定めています（279条）。

⑵ 義務的な裁判

紛争当事国が選ぶ平和的手段によって解決できない紛争は，いずれかの紛争当事国の要請によって，国連海洋法条約の関連規定にもとづいて管轄権をもつ裁判所に付託されます（286条）。管轄権をもつ裁判所は，① **ITLOS**（**国際海洋法裁判所**），② **ICJ**，③**仲裁裁判所**（附属書Ⅶ），④特別仲裁裁判所のなかから，紛争当事国の事前の宣言にもとづいて決まることになります。国連海洋法条約の締約国は，宣言をすることによって，この条約の解釈・適用にかんする紛争の解決手段として，①～④の裁判所のうちいずれかを選ぶことができます（287条1項）。紛争当事国がそれぞれの宣言において同じ裁判所を選択していれば，紛争はその裁判所に付託され，それ以外の場合は，仲裁裁判所に付託されることになります（同条4項・5項）。

いずれの裁判所が管轄権をもつにせよ，その裁判所の判決は，その紛争当事国の間において，かつ，その紛争にかんしてのみ，**拘束力**をもちます（296条）。したがって，国連海洋法条約の解釈・適用にかんする紛争で，紛争当事国が選ぶほかの平和的手段によって解決されないものについては，基本的には，いずれかの裁判所によって拘束力をもつ判決が出される制度が用意されていることになります。

他方で，国連海洋法条約は，そのような義務的な裁判手続の適用にかんして，**いくつかの制限と除外**を定めています。たとえば，排他的経済水域における沿岸国の主権的権利にかんする紛争などについては，義務的な裁判手続は適用されません（297条）。また，締約国は，宣言をすることによって，海洋の境界画定にかんする紛争などを義務的な裁判手続の適用対象外とすることができます（298条）。たとえば中国は2006年にこの宣言をしていて，中国はそのことも理由の1つとして，フィリピンによる南シナ海事件の提訴に反対しましたが（裁判を欠席），仲裁裁判所は，この事件は海洋境界画定にかんする紛争ではないなどとして裁判手続を進め（管轄権にかんする2015年10月29日判決），2016年7月12日に本案判決を出しています。

⑶ 暫定措置

国連海洋法条約の義務的な裁判手続において管轄権をもつ裁判所は，一定の場合，**紛争当事国の権利保全や重大な海洋環境損害の防止**のために，適当な暫定措置を出すことができます（290条1項）。管轄権をもつ裁判所が仲裁裁判所（ICJやITLOSと違い，常設の裁判所ではありません）の場合には，必要とされる暫定措置は，仲裁裁判所が構成されるまでの間（仲裁人を選んだりする間），ITLOSか紛争当事国が合意する裁判所が出すことになります（同条5項）。

Column ㉒ みなみまぐろ事件

日本によるみなみまぐろの調査漁獲が，高度回遊性魚種や公海生物資源の保存にかんする国連海洋法条約の規定に違反すると主張して，1999年7月にオーストラリアとニュージーランドが，日本を相手として国連海洋法条約の義務的な裁判手続に訴えました。当時は，これら3国のいずれも裁判所を選ぶ宣言（287条1項）をしていなかったので，この事件は仲裁裁判所（附属書Ⅶ）に付託されることになります。仲裁裁判所が構成されるまでの間に，オーストラリアとニュージーランドが暫定措置を要請し，1999年8月にITLOSは，調査漁獲を行わないことなどを日本に求める暫定措置を出しました。他方で，そのあとに構成された仲裁裁判所は，2000年8月の判決において，この事件を解決する管轄権を仲裁裁判所はもたないとし，訴えをしりぞけました。

仲裁裁判所は，一方で，調査漁獲の問題がみなみまぐろ保存条約にかんする紛争だからといって国連海洋法条約にかんする紛争でなくなるわけではないとして日本の主張をしりぞけながら，他方で，みなみまぐろ保存条約で関係国が選んでいた紛争解決手段に着目して，自らの管轄権を否定したのです。国連海洋法条約の義務的な裁判手続は，紛争当事国が合意で選んだ手段によっては紛争が解決されず，かつ，その合意が「他の手続の可能性を排除していないとき」にのみ適用されることになっています（281条1項）。ところが，みなみまぐろ保存条約が定める紛争解決手続では，ICJや仲裁裁判所に付託するためにはすべての紛争当事国の同意が必要となっていて，ほかの手続（合意によらない義務的な裁判手続）の可能性を排除しているので，国連海洋法条約の義務的な裁判手続は適用されないというわけです。

⑷ 船のすみやかな釈放

国連海洋法条約は，排他的経済水域における生物資源の開発や保存にかんする法令の遵守を確保するために，沿岸国が乗船したり拿捕したりすることを認めるとともに，拿捕された船や乗組員は，合理的な保証金が支払われたあとにすみやかに釈放されることを定めています（73条）。合理的な保証金の支払いをしたにもかかわらず，船や乗組員をすみやかに釈放しない場合には，船の旗国は，釈放の問題を，ITLOSなどに付託することができます（292条）。

このような**船のすみやかな釈放**にかんする規則は，国連海洋法条約独自のものですが，日本もすみやかな釈放にかんする紛争解決手続を利用したことがあります。ロシアの排他的経済水域において漁業を行うことを許可された日本の漁船（第88豊進丸）が，許可の条件に違反して漁業を行っていたとして2007年6月にロシアに拿捕された事件です。釈放のために支払うべき保証金の額をロシアが示さなかったため，日本が7月6日にITLOSに提訴しました。その後，ロシアは，釈放のための保証金として2,200万ルーブル（当時，日本円に換算して1億円以上）を示したので，もはや裁判をする目的がなくなったと主張しましたが，ITLOSは2007年8月6日の判決で，ロシアが示した保証金の額は合理的なものではないとして，ロシアによる国連海洋法条約違反を認定しました。ITLOSが示した保証金（1,000万ルーブル）が支払われたあと，第88豊進丸は保釈されています（なお，同じ日に，第53富丸のすみやかな釈放にかんする事件の判決も出されていますが，ITLOSは，第53富丸がすでに没収され，それにかんするロシアの国内裁判手続も終わっているので，日本の請求は目的が失われているとしました）。

5 南極・空・宇宙

1 南　　極

南極大陸に人間がはじめて上陸したのは1895年のことです。その後，1908

年のイギリスをはじめとして，1940年頃までの間に，ニュージーランド，フランス，オーストラリア，ノルウェー，チリ，アルゼンチンの7か国が，南極大陸の一部について**領有権を主張**するようになります。これらの国（**クレイマント**）は，それぞれ，南極点を頂点とする扇形の区域（セクター）を設定し，領有権を主張しています。他方で，アメリカや旧ソ連，日本などは，南極大陸にたいする領有権を主張せず，また，クレイマントによる領有権の主張も認めないという立場をとりました（ノン・クレイマント）。

国際地球観測年（1957年～1958年）に行われた南極での科学的調査についての国際協力を背景として，クレイマント7か国とノン・クレイマント5か国の12か国の間で締結されたのが，**南極条約**（1959年）です。この条約は，南極地域の**平和的利用の原則**（1条）や科学的調査についての国際協力の原則（3条）を定めるとともに，南極の領有にかんしては，**領土権や請求権の凍結**とよばれることもある規定をおいています（4条）。具体的にいえば，南極条約は，南極地域における領土主権や領土についての請求権（およびその基礎）を放棄するものでも，他国のそれらを承認・否認することについての締約国の地位を害するものでもありません。また，南極条約の有効期間中の活動は，南極地域における領土についての請求権を主張したり否認したりするための基礎とはならず，条約の有効期間中は，南極地域における領土についての新しい請求権または既存の請求権の拡大を主張してはならないことになっています。

南極地域の生物資源の保護・保存にかんしては，南極あざらし保存条約（1972年）や南極海洋生物資源保存条約（1980年）が採択されています。南極鉱物資源活動規制条約（1988年）は，南極地域の鉱物資源の開発にかんするものですが，環境保護の観点から批判され，発効の見通しがたっていません。また，南極条約環境保護議定書（1991年採択，1998年発効）は，南極地域において，科学的調査をのぞき，鉱物資源にかんするいかなる活動も禁止しています（7条）。

Column ㉓ 日本と南極

白瀬探検隊による1912年の南極探検は，国の支援や補助を受けずに行われたものですが，第2次世界大戦前において，日本が南極地域にたいする領土権などを請求する基礎となりうる唯一のものとされます。日本は，1938年に，この南極探検にもとづき，南極地域にたいする領土権について発言権を留保したことがありますが，サンフランシスコ平和条約（1951年）において，日本国民の活動に由来するかどうかを問わず，南極地域にたいする権利などについて，すべての請求権を放棄しました（2条(e)）。この規定について，1978年の国会答弁において政府委員は，サンフランシスコ平和条約発効後の活動から生じる請求権まで放棄したものではないという考えを示しつつ，かりに南極条約が効力を失った場合でも，「わが国としては基本的には南極大陸に各国が領土の分捕り合戦のようなことを行うのは望ましくないという立場をとっておりますので，将来といえどもそういう立場から日本の政策をとっていくのであろうと思います」と述べています。

CHART 図表7.3 主張されている南極の領土権

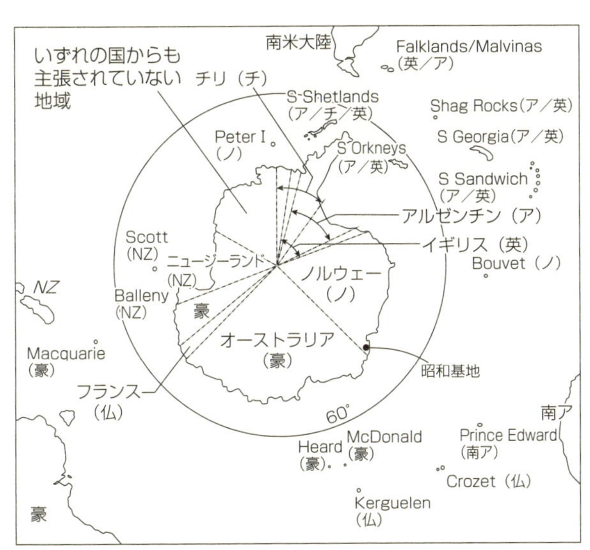

C. Joyner, "The Exclusive Economic Zone and Antarctica," *Virginia Journal of International Law*, vol. 21 (1980-81), p. 698 を参考に著者作成。
（注） 実線（南緯60度線）内：南極条約適用範囲

2 空

(1) 領空飛行の規制

海と比べて，人間が活動する場としての空の歴史が浅いことは，ライト兄弟による有人飛行が1903年のことであることからもわかります。海の場合と同じように「空の自由」が主張されたりもしましたが，第1次世界大戦で航空機が使われたときの実行をふまえて採択された1919年のパリ国際航空条約も，それにかわる1944年の国際民間航空条約（シカゴ条約）も，それぞれの国は，**自国の領土と領海の上空（領空）において完全かつ排他的な主権をもつ**としています。

したがって，航空機には，公海の自由の一部として**公海の上空を飛行する自由**は認められますが（国連海洋法条約87条。排他的経済水域の上空についても同様（同58条）），外国の領海における無害通航権のような，**外国の領空を飛行する権利（自由）は認められません**。シカゴ条約は，航空機による領空の飛行を，その国の特別の許可が必要な定期航空業務（6条）と事前の許可が不要なチャーター便などの不定期飛行（5条）に区別していますが，実際には不定期飛行についても特別の許可が求められていて（5条第2文），航空機は，外国の領空をその国の許可なく飛行することはできません。

領空には，領土の上空と領海の上空が含まれますが，外国の航空機の上空飛行にかんする国際法の規制という点では，両者の間に違いはありません。ただし，領海の一部が，⇒101頁 ②**2**(**5**)でみた国際海峡である場合には，その上空において外国の航空機には通過通航権が認められます（国連海洋法条約38条）。

(2) 領空侵犯への対応

自国の領空を許可なく飛行する航空機にたいして，国がどのような措置をとることができるかについては，軍用機と民間機をわけて考える必要があります（シカゴ条約は，民間機のみに適用され，軍用機を含む国の航空機には適用されません（3条））。**軍用機**にかんする具体的なケースとしては，1960年に，写真撮影のために旧ソ連の領空に侵入したアメリカの偵察機U-2を，旧ソ連が撃墜した事

CHART 図表 7.4 日本および周辺国の防空識別圏

『令和3年版防衛白書』をもとに著者作成。

件があります。この撃墜にたいしてアメリカが抗議しなかったことは，外国の軍用機が自国の領空を許可なく飛行する場合には，国はそれを撃墜することも認められることを示しているといえます。

民間機については，1983年に，予定の航路から大きく外れて飛行し，旧ソ連の領空を侵犯した大韓航空機を，旧ソ連が撃墜し，乗員・乗客全員が死亡した事件があります。この旧ソ連の措置にたいして諸国が制裁措置をとったことは，領空を侵犯した民間機を撃墜することが国際法違反であることを示しています。この事件をきっかけとして，シカゴ条約が改正され，領空を許可なく飛行する民間機にたいして，その国が着陸を求める権利を認める一方で，飛行中の民間機にたいする武器の使用を禁止し，使用する場合も機内の人命を脅かしたりしてはならないとする規定が取り入れられました（3条の2）。

(3) 防空識別圏

近年，日本を含む一部の国は，領空よりも広い範囲で，排他的経済水域や公海の上空に**防空識別圏**（⇒119頁図表 7.4）を設定し，そこを飛行する航空機にたいして飛行計画の提出や位置の報告などを求めています。これは，条約に定められた制度ではなく，それぞれの国が独自に設定しているものです。したがって，識別に協力しない航空機にたいして国がとる措置によっては，公海や排他的経済水域の上空を飛行する自由を侵害するため国際法違反となる可能性があります。

3 宇　宙

1957年に旧ソ連が人工衛星スプートニクを打ちあげてから，人間の活動の場は宇宙にまで広がり，国際法による規律が必要になっています。1963年の国連総会決議（宇宙法原則宣言）にもとづく**宇宙条約**が1966年に採択され，そののち，宇宙救助返還協定（1968年），宇宙損害責任条約（1972年），宇宙物体登録条約（1974年），月協定（1979年），宇宙基地協定（1998年）などの条約がこれまで採択されてきています。

宇宙条約は，たとえば，**宇宙空間の探査・利用の自由**（1条），**領有の禁止**（2条），**平和目的での利用**（4条）のような原則を定めています。これらの原則は，公海の法的地位に似ているといえます。そうすると，一方で，それぞれの国が主権をもち，ほかの国や人が自由に飛行できない領空と，他方で，領有が禁止され，利用の自由が認められる宇宙空間との境界をどのように定めるかという問題が生じます。この問題については，大気の存在や，航空機の飛行限度，人工衛星の最低軌道など，さまざまな基準が主張されてきましたが，いずれも国際法上の基準といえるまでにはなっていないのが現状です。

月協定は，宇宙条約と同様の原則を定めるとともに，月とその天然資源を，**人類の共同遺産**であるとしています（11条1項）。月の天然資源の開発が実行可能になるときに，月協定に従って設立される国際制度の主な目的には，月の天然資源から得られる利益の衡平な分配が含まれていますが，この分配には発展途上国の利益やニーズに特別な考慮が払われることになっています（同条7項）。その意味で，月には深海底と似た法的地位が与えられているといえます。もっとも，まさにそのことが1つの要因となって，月協定の当事国は18か国にとどまり，実際に宇宙活動を行っている主な国が加わっていないため，実効性に乏しい条約にとどまっています。

宇宙基地協定は，アメリカ，ヨーロッパ宇宙機関の加盟国，日本およびカナダが締結した1988年の協定に，ロシアが加わってあらためて締結されたものです。この協定は，平和目的のために常時有人の民生用国際宇宙基地の設計・開発・運用・利用にかんする国際協力の枠組みを確立することを目的としています。

CHAPTER

第8章 人　権

国内法において人権が保護されていることはよく知られていますが，国際法においても人権は広く保護されています。さらに，国内法上の人権保護よりも，国際法上の人権保護のほうが重要である場面が多くみられます。たとえば，国内法における人権保護レベルが低い国の場合，その国のなかで人権侵害が法的に救済される可能性は低いでしょう。ところが，この国が人権条約を批准していれば，当該条約上の人権保護がこの国でも求められることになります。日本でも，裁判所において人権条約が適用される例がありますので，重要な裁判適用法規であるといえます。なお，人権概念や人権思想は国や地域によって大きく異なりますが（たとえば，イスラム圏における女性のとらえ方は，キリスト教圏とは大きく異なります），国際法上の人権概念は，国際社会において普遍的に保護されるべき権利を定めるという点にその目的があります。

1 国　籍

私人（自然人と法人）がどの国に所属するのかを示すものが国籍です。国籍があることにより，私人と国家の間にはさまざまな法的関係が生まれます。国家は独自の基準を用いて国籍を私人に付与しています。大きくわけると，領域内で出生した子どもに自国の国籍を認める国（出生地主義）と自国民の子どもに自国の国籍を認める国（血統主義）があります。他方で，これらのルールについては，国家間で調整を行う場がありませんので，まったく国籍を有しない者（無国籍者），あるいは複数の国籍を有する者（重国籍者）が生まれることになります。たとえば，出生地主義をとる国の両親の子どもが血統主義をとる国の領域で生まれた場合，無国籍者が生まれます。また，血統主義をとる国の両親の子どもが出生地主義をとる国の領域で生まれた場合，重国籍者が生まれます。無国籍者には，自分を保護してくれる国籍国がありませんので，子どもの無国籍を防ぐ義務が条約で設定されています（児童の権利条約7条）。重国籍者にたいしては，保護を与える（外交的保護権を行使する）国が複数存在することになります。この場合，いずれの国籍国にも外交的保護請求権が認められます（国連国際法委員会の外交的保護条文草案6条）。なお，私人の国籍とは異なり，法人の国籍も外交的保護の文脈で問題となります。

2 難　民

国籍国の保護を得ることができない「難民」という現象が発生する場合，国籍国の保護にかわる保護制度が必要となります。1951年の**難民条約**では，「迫害」概念を中心に据えた難民の定義をおいています。すなわち，「人種，宗教，国籍若しくは特定の社会的集団の構成員であること又は政治的意見を理由に迫害を受けるおそれがあるという十分に理由のある恐怖を有するために」国籍国の外にいて，国籍国の保護を受けないあるいは望まない者とされています（難民条約1条A(2))。なお，難民条約上の「難民」の定義では，「1951年1月1日前に生じた事件の結果として」(同）という時間的要件が課されていました。また，「欧州において生じた事件」という地理的制限を付け加えることも締約国に認められていました（難民条約1条B(1))。他方，**難民議定書**において難民の要件が緩和されています。すなわち，時間的要件が除外されたうえで（1条2項)，「この議定書の締約国によりいかなる地理的な制限もなしに適用される」(同条3項）とされ，地理的な制約も取り除かれています。このように，難民の定義は条約上で定められていますが，難民として認定するか否かは締約国の権限とみなされています。この点で，1950年に設置された**UNHCR**（国連難民高等弁務官事務所）には，難民条約の適用を監督する権限はありますが，締約国を拘束するような難民認定権は認められていません。

国家は，いったん難民を自国領域内に受け入れた場合，「人種，宗教，国籍若しくは特定の社会的集団の構成員であること又は政治的意見のためにその生命又は自由が脅威にさらされるおそれのある領域の国境へ追放し又は送還」してはいけません（難民条約33条)。これを**ノン・ルフールマン原則**といいます。

3 国際法上の人権保障

個人を保護する制度として，伝統的には**外交的保護制度**（⇒64頁 第**5**章 1 **4**）が用いられていました。この制度では，他国の領域内で被害（身体または財産に対する損害）を受けた個人について，その国籍国が（損害が発生した領域国にたいして）救済を求めます。すなわち，領域国において外国人が被害を受けた場合，当該外国人は国籍国によって保護されることになります。このように，外交的保護制度は，国家（個人の国籍国）対国家（個人の所在地国）の相互的・双務的な関係に依拠した制度であるということができます。これにたいして，現代の**国際人権保障**は，個人の人権を直接的に条約上で認めたうえで，条約締約国にたいして特定の人権保護義務を課しています。この場合，一締約国は，（特定の締約国にたいして義務を負うのではなく）ほかのすべての締約国との関係で国際法上の人権保護義務を負うことになります（当事国間対世的義務といいます。⇒67頁 第**5**章 1 **5**③)。

第１次世界大戦後，少数者保護のための条約や国際労働機関（ILO）条約が締結されていましたが，人権問題はいまだ国内問題であると考えられていました。これにたいして，第２次世界大戦中にナチス・ドイツによるユダヤ人集団殺害（ホロコースト）が発生したことから，**戦後，人権の国際的保障の必要性が強く認識**されました。こうして，国際人権保障は，第２次世界大戦後に大きく進展することになります。

1　国連憲章，世界人権宣言，国際人権規約

国連憲章では，「すべての者のために人権及び基本的自由を」尊重し，そのための国際協力を達成すべきことが強調されています（1条3項・13条・55条(c)・56条・62条2項・76条(c)）。このように，国連の主要な目的の１つに人権保護があげられていますが，国連憲章は抽象的な目標を定めたにすぎず，具体的な人権保護規定を設けていませんでした。そのため，詳細な人権保護規定は，のちに締結される各種人権条約にゆだねられることになりました。

国連憲章における人権尊重の精神を受け継ぎ，1948年に国連総会で**世界人権宣言**が採択されました。この宣言では，国連憲章よりも詳細な人権保護規定が設けられましたが，宣言自体は人権の漸進的保護の努力のために諸国家が「達成すべき共通の基準」（前文）を定めたものですので，法的拘束力を有する文書とはみなされていません。ただし，世界人権宣言は，その後の国内法や人権条約に大きな影響を与えており，その内容は国際人権規約に引き継がれています。

国連人権委員会が国際人権保障の基本条約の起草を行った結果，1966年に**国際人権規約**が採択されました。国際人権規約は，**社会権規約**（経済的，社会的及び文化的権利に関する国際規約。A規約）と**自由権規約**（市民的及び政治的権利に関する国際規約。B規約）にわかれます。加えて，自由権規約第１選択議定書（1966年）と社会権規約選択議定書（2008年）が採択されています。この２つの議定書は，個人通報制度を定めるものです。このように，２つの規約と２つの議定書を通じて，後に**4(2)**⇒130頁で説明する国家報告制度，国家通報制度，個人通報制度が設けられています。また，自由権規約第２選択議定書（1989年）は死刑廃止にかんするものです。

2 分野別・地域別の人権保障

国連は，分野ごとに多くの条約を作成してきました。集団殺害犯罪条約（集団殺害罪の防止及び処罰に関する条約＝ジェノサイド条約。1948年），難民条約（1951年），人種差別撤廃条約（1965年），アパルトヘイト条約（1973年），女子差別撤廃条約（1979年），拷問等禁止条約（1984年），児童の権利条約（1989年），障がい者権利条約（2006年），強制失踪保護条約（2006年）などが採択されています。

こうした世界レベルでの人権保障に加えて，地域的な条約による人権の保障もみられます。欧州諸国では，欧州人権条約（人権及び基本的自由の保護のための条約。1950年）が採択され，さらに16の議定書が締結されています。なかでも，第11議定書は，欧州人権裁判所において個人が提訴する権利（出訴権）を承認したものであり，重要な議定書です。欧州以外でも，米州人権条約（1969年）やバンジュール憲章（人及び人民の権利に関するアフリカ憲章。1981年）が採択されています。

3 保護される人権の内容

国際人権保護の具体的な内容を知るために，基本的な人権条約である国際人権規約をみてみましょう。国際人権規約は，社会権規約と自由権規約にわかれています。**社会権**とは，労働・社会保障にたいする権利，教育権などです。**自由権**とは，生命・身体の自由，公正な裁判を受ける権利，思想・良心・宗教の自由，表現の自由，結社の自由などです。このように，自由権は国家からの個人の自由を意味します（国家による介入を排除）。これにたいして，社会権は国家に特定の行動を要求するものです（国家による介入を要求）。自由権は原則としてあらゆる国家にその尊重が求められるものですが，社会権は国家の経済的状況や発展段階によっては達成するのが困難なものが多く含まれています。その結果，自由権規約では，締約国は規定された権利を「尊重し及び確保することを約束する」（2条1項）と規定されており，人権保障をただちに実施する義務が課せられています。これにたいして，社会権規約では，締約国は権利の「完全な実現を漸進（ぜんしん）的に達成するため」，利用可能な手段を最大限に用いて行動することを約束する（2条1項）にとどまり，人権保障をただちに実現することは義務づけられていません。ただし，このように自由権と社会権を区別し，両者の間に優劣をつけることにたいしては，批判もみられます。

なお，保護される人権の類型のなかでは，優劣や優先順位はないようにみえますが，特定の類型の人権には，ほかの人権よりも重視されるものがあります。自由権規約4条1項では，締約国が公の緊急事態の際に義務違反となる措置をとることを認めています（デロゲーション条項）。ただし，生命権，奴隷・強制労働の禁止等は，公の緊急事態においても保護されなければならないとされています（4条2項）。すなわち，これらの自由権は，**逸脱不可能な権利**，あるいは絶対的な権利と考えられており，人権の類型のなかでも上位に位置するものと考えることができます。

なお，基本的に人権は個人に認められるものですが，個人の集合である**人民**に認められる権利が**自決権**です（第**1**章参照 ⇒1頁）。自決権には，人民が自らの政治体制を選択する権利（政治的独立）に加えて，経済的な自立・発展を求める権利が含まれています（社会権規約1条，自由権規約1条）。また，自決権との違いで注意すべきものとして，**少数者や先住民の権利**があります。2007年に国連総会が採択した**国連先住民族権利宣言**（先住民族の権利に関する国際連合宣言）では，先住民族には個人としての権利に加えて，人民としての集団的権利が認められ，自決権の享有主体とされています（3条）。

Column ㉔ アイヌ民族は少数民族？

北海道にはアイヌ民族が住んでいます。彼らは「少数民族」（自由権規約27条）なのでしょうか。自由権規約における第1回日本政府報告書（1980年）では，「本規約に規定する意味での少数民族はわが国には存在しない」とされていました。他方，第3回政府報告書（1991年）では，「アイヌの人々は，独自の宗教および言語を有し，また文化の独自性を保持していることなどから，本条にいう少数民族であるとして差し支えない」と述べ，以前の立場を修正しました。日本政府はアイヌ民族が少数民族であることを認めたのです。その後，2007年に「先住民族の権利に関する国際連合宣言」が国連総会で採択されます。2008年6月6日，衆参両院の全会一致で「アイヌ民族を先住民族とすることを求める決議」が採択されています。

4 国際人権の履行確保

(1) 国内実施

先にみたように，国際法において人権が認められているわけですが，人権条約の履行確保は，まずは条約締約国における国内実施の形で行われるべきものです。条約で人権保護が定められている以上，各締約国が自国の国内で人権を保護すべきだからです。以下でみるように，**国際実施**のための手続も人権条約上では整備されていますが，あくまでも国内実施の補完と位置づけられるものです。

国内実施という場合，立法・行政・司法のいずれの場面でも人権条約を実施することが求められることになります。第1に，人権条約を批准する場合，条約上の義務に適合するように，国内法令を制定・改廃する必要があります。第2に，行政機関は，人権条約上の義務を履行するようにふだんの行政行為を実施する必要があります。第3に，裁判機関は，人権条約を実際の事件で解釈・適用することが求められます。とくに，人権条約規定は国内裁判所において直接的に適用しうるものが多いため，具体的事件において国内裁判所が人権条約を適用することが求められます。

日本においても，一定の人権条約上の規定は**直接適用**が可能であるとみなされています。ただし，判例上，自由権規約が直接適用されるのにたいして，社会権規約の直接適用可能性は否定されています。とはいえ，社会権規約の直接適用可能性を一律に否定するのはいきすぎでしょう。差別禁止（2条2項など）のように直接適用可能な規定もありますので，日本の判例が社会権規約上の義務に反すると解する立場もみられます（社会権規約委員会総括所見2013年）。なお，**国際人権規約が特定の事案に直接的に適用されない場合であっても，国内法令の解釈に際しての基準とされる場合があります**（「**間接適用**」とよばれます。⇒53頁 第**4**章③**2**参照）。この場合，条約などの国際文書に適合するように国内法令の解釈・適用が行われます。このように，国際人権規約は国内裁判所においても解釈・適用が行われる重要な裁判適用法規です。

Column ㉕ 自由権規約の「間接適用」

自由権規約の解釈に適合する形で国内法令の解釈や適用が行われる場合があります。すなわち，解釈指針として利用する場合です。これを「間接適用」といいます。たとえば，土地強制収用と文化享有権の関係（自由権規約 27 条の少数民族の権利および憲法 13 条の関係）が争われた二風谷（にぶたに）ダム事件（ダム建設差止訴訟）において，札幌地裁はつぎのように述べています。「アイヌ民族は，文化の独自性を保持した少数民族としてその文化を享有する権利を B 規約〔自由権規約〕27 条で保障されているのであって，我が国は憲法 98 条 2 項の規定に照らしてこれを誠実に遵守する義務がある〔中略〕B 規約 27 条制定の趣旨に照らせば，その制限〔憲法上の制限〕は必要最小限度に留められなければならない」。こうして裁判所は，自由権規約の関連規定の制定趣旨を考慮して，憲法上の制約（憲法 12 条と 13 条の公共の福祉による制限）を制限的に解釈する立場を示しています（札幌地裁 1997 年 3 月 27 日判決）。

⑵ 国際実施

国際人権規約は実施のための国際的手続を定め，そのための条約実施機関を設置しています。具体的には，①国家報告制度，②国家通報制度，③個人通報制度の 3 つです。また，地域的な人権条約では，人権裁判所が設置されています。

①**国家報告制度**は，人権条約の締約国が自国における条約実施状況を条約で設置された実施機関に定期的に報告する制度です。この報告は実施機関によって審査され，当該機関による見解が示されます。②**国家通報制度**は，条約締約国がほかの締約国の義務違反を実施機関に通報する制度です。この通報にもとづいて，実施機関は審査・調停などの手続をとります。ただし，この手続はあまり用いられていません。③**個人通報制度**は，人権侵害の被害者（個人）が，人権侵害を行っている締約国を相手どって，実施機関に通報する手続です。実施機関は，通報された事案について条約義務の違反の有無を審査し，認定を行います。**人権裁判所**は，地域的な人権条約（米州人権条約や欧州人権条約など）において国家通報や個人通報に基づいて審査を行う機関として設置されているも

のです。人権裁判所は拘束力のある判決を下します。

POINT

国際人権規約の履行確保メカニズム

	自由権規約	社会権規約
人権委員会	28条	19条
①国家報告制度	40条	16条
②国家通報制度	41条※1	選択議定書10条※2
③個人通報制度	第1選択議定書1条	選択議定書2条

※1 国家通報制度を認める旨の宣言をした国にかぎられる。

※2 ただし，選択議定書を批准したうえで，10条の宣言（国家通報制度を認める旨の宣言）をした国にかぎる。

たとえば，自由権規約上の国家報告制度では，締約国が提出する報告書について，自由権規約委員会がこれを審査したうえ，**総括所見**を出して当該国家における人権条約の実施状況を評価します。また，委員会は，規約の実施にかんする一般的問題について解釈を示す**一般的意見**も採択します。自由権規約上の個人通報制度は，第1選択議定書の締約国になった国にのみ適用されます。なお，社会権規約にかんしても，個人通報制度を導入した社会権規約選択議定書（2008年）が採択されています。個人通報制度では，書面による手続を経たうえで，規約違反にかんする委員会の**見解**が示されます。この見解には法的拘束力はないと考えられていますが，違反認定がなされた場合は委員会が措置の報告を求めるフォローアップが行われています。

以上のように，選択議定書によって個人通報制度が導入されており，人権条約の監視が可能となっていますが，問題となるのは選択議定書の締約国数です。EXAMPLE のように，2つの人権規約は160か国以上の締約国を有しており，「普遍的」人権条約と評すことができますが，選択議定書の締約国数はいまだ「普遍的」といえるレベルには達していません。

EXAMPLE

国際人権規約の批准状況（2021年9月5日時点）

	採択	批准／加入	米	英	仏	中	露	日本
自由権規約	1966	173	○	○	○	×	○	**○**
第1選択議定書	1966	116	×	×	○	×	○	**×**
第2選択議定書	1989	89	×	○	○	×	×	**×**
社会権規約	1966	171	×	○	○	○	○	**○**
選択議定書	2008	26	×	×	○	×	×	**×**

以上の点に加えて，主要国の人権条約批准状況もみておきましょう。EXAMPLEのように，国連安保理の常任理事国のなかで自由権規約の第1選択議定書（個人通報制度）を批准／加入しているのはフランスとロシアだけです。日本はいずれの選択議定書も批准しておらず，個人通報制度を認めていません。その理由として，日本政府は，司法の独立を損なうことなどを挙げています。

個別条約における実施措置だけでなく，国連における実施措置についても進展がみられます。国連においては，経済社会理事会の下部機関である**国連人権委員会**が人権実施手続の中心的機関でした。この人権委員会は，2006年に**人権理事会**（総会の補助機関）に改組されました。人権理事会は，人権委員会のときに設置された各種人権実施手続を引き継いだうえで，あらたに**普遍的定期審査**の手続を導入しています。この手続では，すべての国連加盟国についてその人権状況が定期的に（4年に1度）公開審査されます。

Column ㉖ 「慰安婦」は性奴隷か？

慰安婦問題は日韓間で大きな争点になっています。2015年の年末に，日韓両政府は「合意」にいたり，慰安婦問題は完全に解決されたと考えられていますが，今後も当該「合意」の実施には問題が残っています（とくに慰安婦像の撤去問題があります）。日本政府は1965年の日韓請求権協定で法的に解決済みという立場ですが，韓国側は，慰安婦問題は同協定の対象外であるととらえています。この点で，自由権規約委員会は第6回日本政府報告（2012年）にたいする「**総括所見**」（2014年）において，日本政府にたいして厳しい見解を示しています。(1)「慰安婦」について日本政府の矛盾した態度に懸念を示し，(2) 被害者の意思に反して行われた行為は，締約国の直接的な法的責任を内包する人権侵害ととらえるのに十分である，と判断しました。加えて，自由権規約委員会は以下の是正勧告を示しました。①すべての性奴隷（sexual slavery）の主張の調査と実行者の訴追と処罰。②被害者およびその家族への裁判アクセスと完全な賠償。③入手可能なすべての証拠の開示。④学生と一般民衆の教育。⑤公的謝罪の表明と国の責任の正式な承認。⑥被害者の名誉毀損（きそん）にたいする非難。このように，自由権規約委員会は慰安婦問題にかんして日本政府にたいして厳しい判断を示しています。また，女子差別撤廃条約にもとづいて設置された女子差別撤廃委員会の「総括所見」（2016 年 3 月）においても，日本政府にたいする厳しい見解が示されています（たとえば，締約国が国際人権条約上の義務を履行していない点について遺憾の意が示されています）。

CHAPTER

第9章

刑事

それぞれの国家は，刑法などの法律で犯罪を定め，それを行ったとされる者を裁判にかけ，有罪となった者を処罰します。第**2**章でみたように，国家は，自国領域外で行われた犯罪についても，さまざまな根拠にもとづいて管轄権を行使していますが，外国にいる犯罪人（あるいは，外国に逃げた犯罪人）を，どのようにして裁判にかけ，処罰するのでしょうか。

また，現代では，国内法ではなく国際法が犯罪を定める場合や，そのような意味での国際的な犯罪を行った者が国際的な刑事裁判所で裁判にかけられる場合もあります。どのような行為が国際法で犯罪とされ，また，国際刑事裁判所（ICC）は，どのような歴史的経緯のなかで作られ，だれが，どこで行った，どのような犯罪について，どのような場合に管轄権をもつのでしょうか。

本章では，このような刑事分野における国際法について説明します。

1　犯罪の国際化

国際法上，国家は，自国領域内で行われた犯罪については，それが外国人によって行われたものであっても，また，なんらかの形で自国にかかわる犯罪については，それが自国領域外で行われたものであっても，管轄権をもつことが認められています（第**2**章④**3** ⇒22頁）。そのような管轄権にもとづいて，国家は，それぞれの国内法によって一定の行為を犯罪としているわけですが，ヒト・モノ・カネ・情報の国境を越えた移動が活発になっていることと比例して，国際的な要素をもつ犯罪が増えているといえます。

また，そのような犯罪の国際化とも関係しますが，国家が管轄権をもち，国内裁判所で処罰しようとしても，犯罪人が，自国領域内での犯行後に他国に逃げてしまっているかもしれませんし，自国領域外での犯行後も他国にとどまることもあります。そのような場合に，国家が自国の警察官を他国に派遣して，犯罪人を逮捕し，自国の裁判所での審理や処罰のために自国に連れてくることは，その他国の同意がなければ認められません。これは，条約などで認められる場合をのぞいて，国家が他国の領域において管轄権を行使することを，国際法が禁止しているからです（PCIJ ローチュス号事件 1927 年判決）。そのような場合，国家は，犯罪人がいる国に，その引渡しを求めるしかありません。

国内裁判所による処罰のための犯罪人の引渡し

1　犯罪人の引渡しにかんする法制度

(1)　逃亡犯罪人引渡法

それぞれの国家は，**領域主権**をもっていますので，自国領域内にいる人（犯罪人）をどのように扱うかについては，他国に引き渡すかどうかを含めて，原

CHART 図表9.1 逃亡犯罪人の引渡人数の推移

	2010年	2011年	2012年	2013年	2014年	2015年	2016年	2017年	2018年	2019年
日本が外国に引き渡した逃亡犯罪人	0	1	1	1	1	1	0	1	2	5
外国から日本に引き渡された逃亡犯罪人	3	1	0	3	2	0	0	2	0	0

『令和2年版犯罪白書』をもとに著者作成。

則として自由に決めることができます。つまり，他国から犯罪人の引渡しを求められても，**引き渡す義務は国家にはありません**。自国領域内にいる人について，犯罪人として処罰するために他国から引渡しが求められた場合に，国家がどのように対応するかは，一般に，それぞれの国内法で定められています。

日本の場合は，**逃亡犯罪人引渡法**という法律が，これにあたります。この法律は，逃亡犯罪人を引き渡してはならない場合を列挙していますが（たとえば，他国の法律上は犯罪であっても日本の法律上は犯罪ではない行為の場合），それらに該当せず，引き渡すことができると東京高等裁判所が決定し，かつ，引き渡すことが相当であると法務大臣が判断した場合には，他国に犯罪人を引き渡すことになります。

⑵ 犯罪人引渡条約

国内法にもとづいた任意の引渡しに期待するだけでは，他国に逃げた（他国にいる）犯罪人を実効的に処罰することができません。そこで，国家間で犯罪人を引き渡すことを義務づける**犯罪人引渡条約**が結ばれることがあります。1つの例として，**日米犯罪人引渡条約**（1978年）がありますが，この条約は，「犯罪の抑圧のための両国の協力を一層実効あるものとすることを希望して」結ばれたものです（前文）。ほかには**日韓犯罪人引渡条約**（2002年）がありますが，日本が結んでいる犯罪人引渡条約は，これら2つだけです。現在，中国との間で犯罪人引渡条約を結ぶための交渉が行われていますが，たとえばアメリカは100か国以上と犯罪人引渡条約を結んでいるのと比べても，日本の犯罪人引渡条約のネットワークは，決して広くないといえるでしょう。

2　政治犯の引渡し

(1) 普通犯罪と政治犯罪

犯罪人の引渡しは，近世初頭のヨーロッパ諸国の間では，国家の政治体制を変える革命やクーデタの計画といった政治犯罪の場合に，行われていました。普通犯罪も引渡しの対象となるようになったのは，18世紀に入ってからのことです。他方，フランス革命以後は，政治的自由の観点から，むしろ**政治犯罪人は引き渡さない慣行**が生じました。日本の逃亡犯罪人引渡法も，犯罪人を引き渡してはならない場合の1つとして，引渡犯罪が政治犯罪であるときをあげています（2条1号）。

(2) 犯罪人引渡条約における政治犯

犯罪人引渡条約でも，政治犯罪の場合には，引渡義務の例外として，引き渡さないことを定めるのが一般的です（日米犯罪人引渡条約4条1項(1)，日韓犯罪人引渡条約3条(c)）。このことを前提として，⇒143頁 3 **2** (4)でみる国際テロリズム関係諸条約などにおいては，その条約上の犯罪について，犯罪人引渡条約における引渡犯罪とすることを定めるとともに，政治犯罪とみなして引き渡さないことを禁止するものもあります（たとえば，爆弾テロ防止条約9条・11条）。

3　自国民の引渡し

(1) 自国民を引き渡さない国内法制度

日本の逃亡犯罪人引渡法は，他国から犯罪人の引渡しが求められても，犯罪人が**日本国民であるときには引き渡してはならない**としています（2条9号）。2003年にペルーがフジモリ元大統領（ペルーと日本の二重国籍）の引渡しを求めてきたときに，日本が引き渡さなかったのは，この国内法上の原則が背景にあったといわれています。

もっとも，すべての国家がこのように自国民の不引渡しを原則としているわけではありません。たとえば英米法系の国家のように，**自国民であっても引き**

渡すことを原則としている国家もあります。したがって，自国民の不引渡しが国際法の原則であるとはいえません。犯罪人として外国から引渡しが求められているにもかかわらず，その人が自国民であるからという理由で引き渡さないのは，結局のところ，その外国の刑事裁判制度を信用していないからなのであって，国際協調主義とはなじまない考え方といえるでしょう。

⑵ 犯罪人引渡条約における例外

日本の逃亡犯罪人引渡法は，日本国民は引き渡さないことを原則としつつ，引渡条約に特別の定めがある場合を例外としています（2条）。実際，**日米および日韓の犯罪人引渡条約**は，引渡しの請求を受けた国は，自国民を引き渡す義務は負わないものの，**裁量により自国民を引き渡すことができる**としています（日米犯罪人引渡条約5条，日韓犯罪人引渡条約6条1項）。具体的な事例としては，日本人がハワイで日本人を殺したとされ，アメリカから引渡しが求められた事件において，その犯罪がハワイの治安に重大な影響を及ぼすことは明らかであり，自国民保護という観点からのみ引渡しの相当・不相当を決めることは適切ではないとして，アメリカへの引渡しを認めたものがあります（東京地裁1994年7月27日決定）。

自国民の引渡しにかんして，日韓犯罪人引渡条約では，たとえば，引渡しを求められている人が日本国民であることのみを理由として韓国への引渡しを拒んだ場合に，韓国が求めれば，訴追のため日本の当局に事件を付託することになっています（日韓犯罪人引渡条約6条2項）。これは，外国で犯罪を行ったあとで日本に帰国した日本国民が，その外国に引き渡されることもなければ，日本で刑事裁判にかけられることもないという不処罰の事態が生じないようにするためのものであり，そのような手当てがなされていない日米犯罪人引渡条約よりも適切であるといえるでしょう。不処罰の防止という観点からは，さらに一歩進めて，自国民であっても引渡しの義務の対象に含めるのが，より望ましいといえます（たとえば，英米犯罪人引渡条約）。

4 死刑となる可能性がある国家への犯罪人の引渡し

犯罪人の引渡しについては，近年，引き渡したのちに人権侵害がなされるおそれがある場合でも引き渡すべきかどうかが問題になることがあります。国際社会における死刑廃止に向けた流れを受けて，たとえば，引き渡せば死刑となる可能性がある犯罪人を，死刑廃止国が引渡請求国（死刑存置国）に引き渡すことが，場合によっては欧州人権条約の違反になると欧州人権裁判所は判断しています（ゼーリング事件 1989 年判決）。自由権規約委員会も，自由権規約のもとで，同じような立場をとっています（ジャッジ事件 2003 年見解）。これは，逆にいうと，死刑存置国である日本が，外国にいる犯罪人の引渡しを求めても，日本で裁判すると死刑になる可能性がある場合には，それを理由として犯罪人を引き渡してもらえないケースが生じうるということを意味しています。

3 国際法が定める犯罪

犯罪が国際化するなかで，国家が，それぞれの国内法によって一定の行為を犯罪とし，それを処罰することに任せるだけでは，それぞれの国内法の違いなどから処罰を免れるケースが生じる可能性があります。そこで，国際社会には，国内法上の犯罪に加えて，**国際法によって犯罪とされるもの**が古くから存在していて，また，近年，そのような意味での国際犯罪を定める国際法（条約）が増えています。

1 戦争犯罪

(1) 狭義の戦争犯罪

国際法上，戦争をすることが合法であった時代から，戦争の手段や方法についての規制は存在してきました（第 **12** 章 3 ⇒197頁）。そのような**交戦法規の違反**は戦争犯罪とされ，交戦国の国内裁判所で処罰されてきました。これを**狭義の戦争犯罪**とよぶことがあります。

これにたいして，**広義の戦争犯罪**とは，第 2 次世界大戦後のニュルンベルク裁判・東京裁判において処罰の対象となったものをさします。具体的には，狭義の戦争犯罪に加えて，**平和に対する犯罪**と**人道に対する犯罪**が含まれます。

⑵　平和に対する犯罪

平和に対する犯罪は，**侵略戦争の計画や実行**などを意味します（ニュルンベルク国際軍事裁判所憲章，極東国際軍事裁判所憲章）。第２次世界大戦当時，侵略戦争を違法とする条約はあっても，それを犯罪として個人を処罰する条約はありませんでした。その意味で，狭義の戦争犯罪の場合とは違い，平和に対する犯罪を理由として個人を処罰することにたいしては，**事後法による処罰であるという批判**もありました。平和に対する犯罪は，今日では「侵略犯罪」と名前を変えて，国際刑事裁判所規程において取り入れられているともいえますが，侵略犯罪については，あとでまたみることにします（④**2**⑴ ⇒146頁）。

⑶　人道に対する犯罪

人道に対する犯罪は，第２次世界大戦中のナチス・ドイツによるユダヤ人の迫害に由来します。従来からの狭義の戦争犯罪では，戦時における敵国民の迫害であればともかく，自国民にたいして非人道的な行為をした人を処罰することができなかったためです。ニュルンベルク国際軍事裁判所憲章・極東国際軍事裁判所憲章によれば，人道に対する犯罪とは，戦前・戦時中に**文民にたいしてなされた殺人や追放その他の非人道的行為，政治的・人種的などの理由にもとづく迫害**を意味します。

このような行為を人道に対する犯罪として処罰することにたいしては，平和に対する犯罪の場合と同様に，**事後法による処罰であるという批判**もありました（ニュルンベルク裁判とは違い，東京裁判では人道に対する犯罪で有罪とされた人は結局いませんでした）。しかし，その後の国際法は，国際犯罪としての人道に対する犯罪を否定するのではなく，むしろ確立する方向で発展してきています。

2　国際法が定めるその他の犯罪

⑴　海賊行為，麻薬取引，奴隷貿易

戦争犯罪のほかに，国際法によって古くから犯罪とされてきたものとしては，**海賊行為**があります（第**7**章②**1** ⇒94頁）。また，**麻薬取引**や**奴隷貿易**も，そのような国

際犯罪に含まれます。たとえば奴隷貿易については，奴隷貿易廃止に関する諸国宣言（1815年）や，奴隷貿易防止ロンドン条約（1841年），奴隷条約（1926年）などがあります。

(2) 集団殺害犯罪（ジェノサイド）

集団殺害犯罪（ジェノサイド）とは，「国民的，民族的，人種的又は宗教的な集団の全部又は一部を集団それ自体として破壊する意図をもって行われる」集団構成員の殺害などを意味します（**ジェノサイド条約**（1948年）2条）。このような集団殺害犯罪は，広義の戦争犯罪（人道に対する犯罪）に含まれていたものといえますが，ジェノサイド条約は，それが「平時に行われるか戦時に行われるかを問わず，国際法上の犯罪」であるとしています（1条）。また，この条約は，集団殺害犯罪の容疑者が，犯罪地国の国内裁判所だけでなく，**国際的な刑事裁判所**で裁判を受けることを定めています（6条）。

(3) 拷　問

拷問等禁止条約（1984年）は，締約国にたいして，拷問を自国の刑法上の犯罪とすることを確保する義務を課しています（4条）。また，拷問犯罪について裁判権を設定するために必要な措置をとる義務を，犯罪地国や容疑者の国籍国などにたいして課すとともに，これらのいずれの締約国にたいしても容疑者を引き渡さない場合の裁判権の設定義務を，容疑者がいる国にたいして課しています（5条）。これを前提として，容疑者がいる国にたいしては，容疑者を引き渡さないときは，訴追のため自国の当局に事件を付託する義務（**引き渡すか訴追するかの義務**）が課されています（7条）。

ICJ 訴追または引渡しの義務事件では，チャドの元大統領が，チャドにおいて，チャド国民にたいして行ったとされる拷問犯罪が問題となりました。ベルギーが，**普遍主義**（⇒22頁第**2**章**4 3**）などにもとづいて裁判を行うために，容疑者であるチャドの元大統領がいるセネガルに引渡しを求めましたが，セネガルが引渡しも訴追もしなかったので，そのことが拷問等禁止条約に違反するとして，セネガルを訴えた事件です。2012年の判決でICJは，セネガルが同条約上の引き渡すか訴追するかの義務に違反したことを認定しました。

(4) 国際テロリズム

国際テロリズムを犯罪と定める条約としては，航空機不法奪取防止条約（1970年），民間航空不法行為防止条約（1971年），人質をとる行為に関する国際条約（1979年），爆弾テロ防止条約（1997年），テロ資金供与防止条約（1999年），核テロ防止条約（2005年）などがあります。たとえば爆弾テロ防止条約は，爆弾を使用したテロ行為をこの条約上の犯罪とし（2条），爆弾テロ犯罪について裁判権を設定するために必要な措置をとる義務を，犯罪地国や容疑者の国籍国などにたいして課しています（6条1項）。同条約は，また，爆弾テロ犯罪の被害国や被害者の国籍国が裁判権を設定することを認め（同条2項），容疑者がいる国にたいしては，**引き渡すか訴追するかの義務**を課しています（8条1項）。

Column ㉗ ロッカビー事件

1988年に，アメリカの民間航空機がロッカビー（スコットランド）上空で爆破される事件が起こりました。その後，アメリカとイギリスが，裁判を行うためにリビア人容疑者2人の引渡しをリビアに求めましたが，リビアはそれに応じませんでした。民間航空不法行為防止条約も，爆弾テロ防止条約と同様に，容疑者がいる国にたいして引き渡すか訴追するかの義務を課していますが（7条），リビアは，自国で訴追するので引き渡す必要はなく，それにもかかわらずアメリカとイギリスが引渡しを求めることは，同条約に違反するとして，アメリカとイギリスをICJに訴えたのです。

その後，国連安保理が，リビアはアメリカとイギリスの引渡請求に応じなければならないと決定したことをふまえて，ICJは，安保理の決定に従う義務（国連憲章25条）を含む国連憲章上の義務が他の国際義務よりも優先することを定める国連憲章103条にもとづいて，リビアが求めた暫定措置を命じませんでした（1992年）。このロッカビー事件については，結局，1998年のイギリスとオランダの協定にもとづいて，オランダにある元アメリカ軍基地でスコットランドの裁判官によって刑事裁判が行われることになりました（判決が出されたあとの2003年には，ICJでの裁判が打ち切られています）。

4 国際刑事裁判所

1 国際的な刑事裁判所の歴史的展開

国際法によって一定の行為を犯罪としても，その処罰を国内裁判所に任せるだけでは，裁判所がきちんと機能していない国家もありますので，処罰を免れるケースが生じる可能性があります。そこで，国際的な刑事裁判所が必要になってくるわけです。3 **2** (2)⇒142頁でみたように，ジェノサイド条約にも，そのような国際的な刑事裁判所が設立されることを見込んだ規定がおかれています。

(1) ニュルンベルク裁判，東京裁判

第1次世界大戦後のベルサイユ条約で，ドイツのヴィルヘルム2世を，国際道義と条約の神聖さにたいする重大な違反について，日本を含む5か国が裁判官を任命する特別裁判所で裁判にかけることが予定されていましたが，オランダが政治犯罪を理由として引渡しを行わなかったため，実際には裁判は行われませんでした。国際法が定める犯罪について実際に個人を裁判にかけた最初の国際的な裁判所は，第2次世界大戦後の**ニュルンベルク国際軍事裁判所**と**極東国際軍事裁判所**であるといってよいでしょう。

これらの国際軍事裁判所は，3 **1**⇒140頁でみたように，狭義の戦争犯罪に加えて，平和に対する犯罪と人道に対する犯罪を対象犯罪としていました。ニュルンベルク裁判の判決は1946年に下され，19人が有罪（うち12人が死刑），3人が無罪となっています。1948年に下された東京裁判の判決では，25人全員が有罪とされています（うち7人が死刑）。

(2) 旧ユーゴ国際刑事裁判所，ルワンダ国際刑事裁判所

ニュルンベルク裁判と東京裁判のあとは，ジェノサイド条約が見込んでいたような国際的な刑事裁判所も実際には設立されることがない状況が続いていました。そのようななかで，1990年代に入り，ユーゴスラビアで民族間の対立

から内戦が発生し，スロベニアやクロアチアなどが独立を宣言したあとも続く武力紛争において，民族間の虐殺などが行われる事態になりました。このような旧ユーゴにおける国際人道法の重大な違反に責任をもつ個人を訴追するために，国連が，安保理決議によって1993年に設立したのが，**旧ユーゴ国際刑事裁判所**（ICTY）です。1994年には，ルワンダ国内で生じた内戦に関連して，ICTYと同じように安保理決議によって**ルワンダ国際刑事裁判所**（ICTR）も設立されました。

個人を裁く刑事裁判所を安保理がそもそも設立できるのかどうかが，ICTYのタジッチ事件で問題となりましたが，ICTYは，安保理が広い裁量をもつことから，「兵力の使用を伴わない」措置（国連憲章41条）として，設立できると判断しました（1995年）。ICTYとICTRを，ニュルンベルク裁判・東京裁判と比べた場合の特徴としては，平和に対する犯罪が対象犯罪に含まれていないことや，刑罰に死刑が含まれていないこと，2審制であることなどがあげられます。なお，ICTRは2015年に，ICTYは2017年にそれぞれ活動を終えました。

(3) 混合裁判所

2000年代に入ってからは，ICTYやICTRのように安保理決議によってではなく，国連と関係国との間の協定にもとづいて，**国際的要素と国内的要素をあわせもった刑事裁判所**が設立されることがあります（シエラレオネ，カンボジア，レバノンなど）。たとえばシエラレオネ特別裁判所は，それが国連とシエラレオネとの間の協定で設立された「国際」裁判所であり，国内裁判所とは違って外国の元首（リベリアの大統領）にたいしてであっても管轄権を行使できると判断しました（2004年）。

(4) 国際刑事裁判所の設立

国際刑事裁判所（ICC）は，1998年に採択された条約（ICC規程）によって設立されました。ICC規程は，それを批准した国が60か国に達した2002年に発効しています。日本は2007年に加入していて，2021年9月の時点で123か国がICC規程の締約国になっています。主な非締約国としては，中国やロシア，アメリカなどがあげられます。ICCでは，ICTYやICTRと同じように，2審制がとられていて，裁判官（18人）のほかに検察官も締約国によって選ばれます。

2 国際刑事裁判所の対象犯罪と刑罰

(1) 国際刑事裁判所の対象犯罪

ICCは，「国際的な関心事である最も重大な犯罪」を行った者にたいして管轄権をもちます（ICC規程1条)。具体的には，**集団殺害犯罪・人道に対する犯罪・戦争犯罪・侵略犯罪**が，ICCの対象犯罪とされています（5条1項)。ICCが管轄権をもつのは，これらの犯罪のうち，ICC規程が発効したあとに行われたものにかぎられます（11条)。

ICCの対象犯罪のうち，侵略犯罪については，当初はその定義と管轄権行使の条件が定められていませんでしたが，2010年のICC規程検討会議で関連規定が採択されました。そこでは，侵略犯罪は，「その性質，重大性及び規模に照らして国際連合憲章の明白な違反を構成する侵略行為の，国の政治的又は軍事的行動を実質的に管理し又は指示する地位にある者による計画，準備，開始又は実行」と定義されています（8条の2)。ICCは，これらの規定を受諾するICC規程締約国が30か国に達して1年がたったのちに（2016年6月にパレスチナが受諾して受諾国が30か国に達しましたので，2017年6月以降に）行われる侵略犯罪についてのみ管轄権を行使できることになっていて，締約国の別の決定にもとづいて（15条の2・15条の3)，2018年7月から，ICCは侵略犯罪についても管轄権を行使できるようになっています。

(2) 国際刑事裁判所における刑罰と被害者への賠償

ICCが科すことのできる刑罰は，**特定の年数（最長30年）の拘禁刑が原則**となっていますが，犯罪の極度の重大さなどによって正当化されるときには**終身刑**を科すこともできます（ICC規程77条1項)。日本のような死刑存置国からみると，国際的な関心事である最も重大な犯罪を行った者が死刑にならないのはおかしいと思う人もいるかもしれません。しかし，逆に，ICCが死刑を科すことを認めたとすれば，国際社会の多数派である死刑廃止国は，そのような裁判所を設立する条約（ICC 規程）には加わらないということになるでしょう。

また，ICC は，もちろん「刑事」裁判所ですが，民事の問題にもかかわっていて，有罪となった者にたいして，**被害者への賠償**を命じることができます（75 条）。しかも，ICC では対象犯罪の被害者などのために信託基金が設置されていて（79 条），ICC は，適当な場合には，その信託基金を通じて賠償の支払いを命じることもできます（75 条 2 項）。

3 国際刑事裁判所における手続の開始

ICC が管轄権を行使することができるのは，対象犯罪が行われたと考えられる事態を，締約国や国連憲章第 7 章にもとづいて行動する安保理が検察官に付託する場合，または，検察官自らの判断（職権）で捜査に着手した場合です（ICC 規程 13 条）。これは，ICC における手続の引き金（**トリガー**）を引くことができるアクターの問題ですが，どのアクターが引き金を引くかによって ICC の管轄権の範囲が違ってきます。

(1) 締約国付託および検察官の職権による手続の開始

締約国または検察官が引き金を引く場合に ICC が管轄権を行使するためには，**犯罪地国と被疑者の国籍国のうち，少なくとも 1 か国が ICC 規程の締約国であることが必要**です（ICC 規程 12 条 2 項）。したがって，ICC 規程の非締約国の領域内で非締約国の国民が行った対象犯罪については，ICC 規程の締約国が付託する場合や，検察官が職権で捜査に着手した場合には，ICC は管轄権を行使することができないことになります。つまり，次頁の POINT の D の場合には，ICC は管轄権を行使することができません。なお，ICC の対象犯罪のうち，侵略犯罪については，POINT の B・C の場合にも ICC は管轄権を行使してはならないとされています（15 条の 2 第 5 項）。これは，非締約国でありながら 2010 年の ICC 規程検討会議に参加したアメリカの主張を反映したものと考えられます。

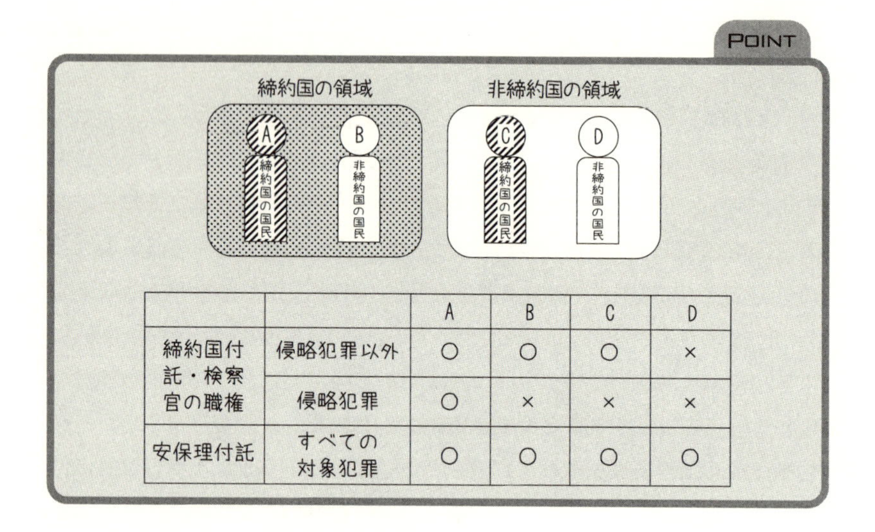

		A	B	C	D
締約国付託・検察官の職権	侵略犯罪以外	○	○	○	×
	侵略犯罪	○	×	×	×
安保理付託	すべての対象犯罪	○	○	○	○

(2) 安保理付託による手続の開始

他方で，**安保理が引き金を引く場合**には，犯罪地国と被疑者の国籍国のうち少なくとも1か国（侵略犯罪の場合は両方）がICC規程の締約国でなければならないという条件はかかりません。つまり，締約国付託や検察官の職権によってICCの手続がはじまる場合とは違い，国連憲章第7章にもとづいて行動する安保理が検察官に付託する場合には，**犯罪地国も被疑者の国籍国もICC規程の締約国である必要はない**というわけです。したがって，ICC規程の締約国が付託する場合や検察官が職権で捜査に着手した場合にはICCは管轄権を行使することができないPOINTのDの場合であっても，安保理が付託する場合にはICCは管轄権を行使することができるというわけです。

4 国際刑事裁判所における手続を開始・続行できない場合

(1) 補完性の原則

ICCは，**国家の刑事裁判権を補完する**ものとされています（ICC規程前文・1条)。この**補完性の原則**を考慮して，ICCは，**国家によって捜査・訴追されている事件は受理しない**ことになっています（17条)。これは，国内裁判所に優越することになっていたICTYやICTRの場合と対照的です。

⑵ 安保理の要請

安保理は，事態を検察官に付託できるだけでなく，国連憲章第7章にもとづく決議によって，**手続を開始・続行しないことをICCに要請する**こともできます（ICC規程16条）。実際，ICCが活動をはじめた2002年7月に，安保理は決議1422を採択し，ICC規程の非締約国から国連の活動に派遣された要員にかかわる事件については，12か月の間，手続を開始・続行しないことを要請したことがあります（安保理決議1487（2003年）により1度だけ要請が更新されました）。

5 国際刑事裁判所の活動の実際

ICCが活動を開始してから約20年がたっていますが，現在（2021年9月）まで，10か国以上の事態について，締約国や安保理の付託によって，あるいは検察官の職権によって，手続が開始されています。

⑴ 締約国付託による手続の開始

締約国が検察官に付託して手続が開始されているのは，コンゴ民主共和国，ウガンダ，中央アフリカ，マリ，パレスチナの事態です。これらの国はいずれもICC規程の締約国ですが，別の締約国がこれらの国の事態を検察官に付託したのではなく，それぞれ自国の事態を自らが付託したケースです（**自己付託**）。そのうち，コンゴ民主共和国の事態にかんするルバンガ事件では，内戦に児童兵を用いたとして被告人が戦争犯罪で有罪とされ，14年の拘禁刑が科されました（2014年上訴裁判部判決）。

⑵ 検察官の職権による手続の開始

検察官の職権によって捜査が開始されているのは，ケニア，コートジボワール，ジョージア，ブルンジ，バングラデシュ／ミャンマーの事態です。このうち，2010年にICCが捜査の開始を許可したケニアの事態にかんして，ケニアは補完性の原則を理由としてICCが事件を受理しないことを求めましたが，

ICCはケニアの主張を受け入れませんでした（2011年）。ブルンジの事態については，ブルンジが2017年10月にICC規程から脱退したため，それまでにブルンジの領域内で，またはブルンジ国民によって行われた対象犯罪についてだけ，ICCは管轄権をもつことになります。また，ミャンマーからバングラデシュへのロヒンギャの人々の追放が問題となっているバングラデシュ／ミャンマーの事態については，ミャンマーはICC規程の締約国ではありませんが，犯罪の少なくとも一部が締約国（バングラデシュ）の領域内で行われていれば，ICCは管轄権を行使することができると判断されています。

(3) 安保理付託による手続の開始

安保理が検察官に付託して手続が開始されているのは，スーダン（ダルフール地区）とリビアの2か国の事態ですが，いずれもICC規程の非締約国です。ICC規程は，元首や政府の長などの公的資格とは関係なく適用され，国内裁判所であれば問題となるかもしれない外国の元首などの管轄権免除の規則（第**2**章§**1**）⇒24頁はICCにはあてはまりませんので（ICC規程27条），スーダンのバシル大統領やリビアのカダフィ大佐についても逮捕状が出されています（カダフィは逮捕状が出された後に死亡）。

CHAPTER

第10章

環　境

本章では，環境保護についての国際法規則や制度（国際環境法と総称されます）を解説します。国境を越える環境被害は決して最近の出来事ではなく，国際的なルール作りは古くから試みられてきました。しかし，人類の経済活動が拡大しかつ多様になるにつれ，生じる環境被害も甚大かつ多様となります。人類は，あらたなタイプの環境への被害や脅威に直面するたびに，それに対応するための国際法規則の整備を試みてきました。本章では，それらの一般的な特徴について概括的に紹介します。

1 歴　史

環境保護についての国際法は，最近著しく発展していますが，環境保護のための条約は，19 世紀や 20 世紀初頭から締結されてきました（国際河川管理，野生動植物保護など）。また，慣習法上も，隣国への越境汚染を規律する**領域使用の管理責任原則**が確立してきました（⇒77頁第**6**章⑪**3**）。これは，国家は自国領域内の活動が他国の権利を侵害しないように注意する義務を負うとする原則で，トレイル溶鉱所事件仲裁裁判所 1941 年最終判決で確認されました。

このような隣国への越境汚染のみならず，第 2 次世界大戦後には，その他の形態の環境損害についての国際法も発展します。たとえば，活動国が注意を欠いたことの証明が困難な，**高度に危険な活動**（**原子力活動や宇宙活動など**）**について，損害賠償義務**を定める条約が作成されました。原子力民事責任ウィーン条約（1963 年）や宇宙損害責任条約（1972 年）がその例です。また，酸性雨や核実験汚染などのような，汚染源の特定が困難であったり短時間で損害が生じないような汚染については，事後の国家責任追及が困難であることから，事後救済のみならず，事前通報・協議義務，環境影響評価義務といった**手続的な協力義務**が規定されるようになりました。

環境保護についての国際法の発展をとくに推し進めるきっかけとなったのが，1972 年にストックホルムで採択された**「国連人間環境会議宣言」**（**人間環境宣言**）や 1992 年**「環境と開発に関するリオデジャネイロ宣言」**（**リオ宣言**）です。これらは，それ自体では法的拘束力のない宣言ですが，その後の国際環境法の発展の指針となる諸原則を示している点で，今日でも重要視されています。さらには，人間環境宣言を実行に移すために，国連総会の下部機関として**国連環境計画**（**UNEP**）が設置され，国連が環境問題に正面から取り組むことになりました。

2 基本原則

1 「人類の共通の関心事」としての環境保護

1992年リオ会議で採択された気候変動枠組条約や生物多様性条約は，気候変動や生物多様性の保全を「**人類の共通の関心事**」と表現しました。つまり，国際社会は，グローバルな重要性をもつ資源にたいする正当な利益と，その持続可能な開発に援助を行う共通の責任を負うことになります。国際法による規制は，もはや隣国への越境汚染をはるかに超えた射程をもつことになります。各国は，国際社会全体（あるいはすべての条約締約国）にたいして環境保護責任を負うのです（対世的義務。⇒66頁 第**5**章**1** **5**）。

2 「持続可能な開発」

環境保護というと，経済開発や社会発展と対立する印象をもつかもしれません。しかし，これらの二者択一ではなく，共存を目指すべきでしょう。そこで主張されるようになった原則が，「**持続可能な開発**」です。これは，**将来世代のニーズをみたしつつ，現在世代のニーズも満足させるような開発**のことです。環境と開発は相反するものではなく共存できるものとし，環境保全を考慮した節度ある開発を目指す考え方です。

この考え方は，1987年環境と開発に関する世界委員会（WCED）ブルントラント報告書で提唱されました。さらに，1992年リオ宣言の原則4は，「持続可能な開発を達成する上で，環境保護は，開発過程の不可分の一部をなすものであり，それから切り離して考えることができない」と述べます。ICJガブチコボ・ナジマロシュ計画事件1997年判決（⇒43頁 第**3**章**2** **3**）も，「経済開発を環境保護と両立させる必要は，持続可能な開発という概念で適切に表現されている」と指摘しています。したがって，各世代は，引き継いだ遺産を将来世代に伝えられるような方法で，利用しかつ開発しなければなりません（「世代間の衡平」）。

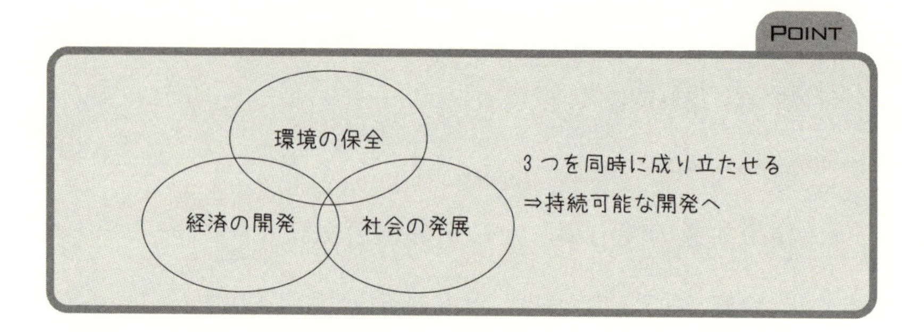

3 「共通だが差異のある責任」

「共通だが差異のある責任」とは，**すべての国が共通して環境保護に責任を負うものの，その内容には差異を設けるべき**とする考え方です（リオ宣言原則7）。具体的には，**先進国は開発途上国よりも高い行動基準**を課されます（例：気候変動枠組条約4条，モントリオール議定書5条）。また，先進国は，開発途上国への資金援助・技術移転の義務を負います（例：気候変動枠組条約4条1項(c)・3項・5項，生物多様性条約16条・20条・21条，モントリオール議定書10条）。これは，歴史的には先進国こそが主に地球環境問題を引き起こし，かつ問題への対処能力を有していることを背景とします。

4 予防原則・予防的アプローチ

環境問題のなかでも，とくに地球全体の環境にかかわる問題（温暖化など）では，原因行為と環境損害の因果関係の証明が困難なことが通常です。だからといって，対応しないままでいると，取り返しがつかない環境損害をもたらしかねません。そこで，環境損害が発生することが科学的に確実でない場合でも，損害発生を防止するための一定の措置をとることが要請されます（リオ宣言原則15）。これにより，従来の注意義務よりも厳しい基準が国家に課されることになります。なお，この要請は，一般的に国家の行動を規律する国際法の一般原則とみなす立場からは「予防原則」，事案に応じてとるべき行動について国家に裁量を与えるべきとする立場からは「予防的アプローチ」とよばれます。

3 基本的義務

1 越境環境損害の防止義務

すでに述べたとおり，慣習国際法上，自国領域から隣国への越境環境損害の防止義務が確立してきました（トレイル溶鉱所事件仲裁裁判所 1941 年最終判決）。

その後，人間環境宣言（原則 21）およびリオ宣言（原則 2）は，**自国の管轄または管理下の活動が他地域の環境に損害を与えないようにする責任**を提唱します。自国領域から隣国への損害のみならず，領域外での自国管理下の活動および国際公域への損害に対象を拡大していることが，あらたな発展として注目されます。たとえば自国船舶による公海上での汚染行為についても防止義務を負うことになります。

さらに，予防的アプローチにより，越境損害の発生リスクが科学的に十分証明されなくても，適切な対応措置をとることが要求されるようになっています。

一方で，防止義務はあくまでも注意義務であって，損害が生じればつねに義務違反となるわけではありません。**相当の注意**を払っていれば，義務をはたしていることになります。つまり，関連する事実や法規則にかんする情報を得て，時宜（じぎ）にかなった方法で適切な措置をとるよう，国家が合理的に努力することが求められているのです。このように，注意義務の程度は事案ごとに判断されます。

もっとも，最近では，事前通報・協議や，環境影響評価の実施の有無といった，より客観的な要素が判断基準に含まれるようになっています（注意義務の客観化）。環境影響評価とは，計画活動が環境にもたらすおそれのある影響を調査，予測，評価するための手続です。国連海洋法条約 206 条は，自国の管轄または管理下の活動が海洋環境に及ぼす潜在的影響を評価することを要求しています。リオ宣言では，原則 17 で評価実施が求められています。さらに，**ICJ パルプ工場事件** 2010 年判決は，計画中の産業活動が，とりわけ共有資源にたいして，国境を越えて相当の悪影響を及ぼす危険がある場合，環境影響評価を行うことを一般国際法上の義務とみなす可能性を指摘しました。そのうえで，評価不実施は相当の注意などの義務の不履行とみなされるだろうと判断しました。ICJ サンファン川沿いのコスタリカ領における道路建設事件 2015 年判決では，コスタリカによる環境影響評価の実施義務の違反が認定されました。

2　事前通報・協議義務

環境リスク緩和のために，**事前の通報や協議などの手続的な義務**も確立しています。水力発電のための国際河川転流が問題となった**ラヌー湖事件**（フランス／スペイン）において，仲裁裁判所判決（1957 年）は，影響を与えるほかの河岸国に事前に通報し，誠実に協議する一般国際法上の義務があると述べました。もっとも，事業について下流国の同意を得ることまでは要求されないと断りました。すなわち，事前通報・協議の義務を認めて下流国に配慮しつつ，同意を得ることまでは要求せずに上流国にも配慮したといえます。

その後，このような事前通報・協議の義務は，越境環境損害の場合を超えて，一般的に要求されるようになっています。国連海洋法条約 198 条では，海洋環境汚染による損害の危険について，通報義務が規定されています。リオ宣言では，緊急事態の通報・支援（原則 18），事前通報・情報提供（原則 19）などの義務が提唱されました。

Column ㉘　ICJ パルプ工場事件

本事件は，ウルグアイがウルグアイ川左岸のパルプ工場の建設・操業を認可した際の行動が，同河川の最適かつ合理的利用のために 1975 年にアルゼンチンと締結した 2 国間条約上の義務に違反するかどうかが争われたものです。

まず，ICJ は，2010 年本案判決において，ウルグアイの手続的義務（同条約 7 条の事前通報義務など）の違反を認めました。

つぎに，同条約 41 条（水環境の保護のために適切な規則を制定し措置を講じる義務）が定める実体的な注意義務については，一般国際法において環境影響評価を実施する義務が存在していると多くの国が受け入れているという実行に従って解釈すべきであり，同評価がなければ，41 条が含意する相当の注意義務などがはたされないと述べました。ただし，環境影響評価の範囲や内容については，同条約にも一般国際法にも規定はなく，両国それぞれの国内法などで決定されるとしました。そのうえでICJは，本件では，工場建設用地は環境影響評価を経て選択されたこと，そこからの排水からも，義務違反となるような悪影響がウルグアイ川とその流域に生じている証拠はないことを理由に，41条の違反を認めませんでした。

 履行確保方法の特徴

1 伝統的方法

環境保護についての国際法規則がいくら発展しても，その実施・遵守・紛争解決のための有効な手段をともなわなければほとんど無意味になります。

この点，伝統的には，国家間請求が念頭におかれてきました（例：トレイル溶鉱所事件）。つまり，被害国が加害国に国家責任を追及するのです（⇒58頁 第**5**章①）。

2 新しい方法──国際コントロールの制度

しかし，とくに地球全体にかかわる環境保護では，このような伝統的方法には限界があります。これらの場合には，被害国の特定が困難だからです。たとえば公海上での有害物投棄では，どの国も損害を被らないことがあります。そしてときには，加害国すら特定が困難な場合があります。あとで述べる地球温暖化は，その一例です。

そこで，多数国間環境保護条約は，**独自の監督制度を設ける傾向**があります（国際コントロール）。

(1) 国家報告制度

国際コントロールの制度として広く採用されているのが，**国家報告制度**です。締約国は，条約義務履行のためにとった措置を，定期的に条約機関に報告する義務を負います。それを受けて条約機関は報告を審査し，必要な場合は勧告を

します。

(2) 遵守手続

オゾン層破壊物質を規制するモントリオール議定書や，温室効果ガスを削減するための京都議定書とパリ協定，生物多様性のためのカルタヘナ議定書と名古屋議定書などでは，不遵守国を遵守へ導くための独自の**遵守手続**が設けられています。これは，条約機関が締約国の義務不遵守にたいして，警告を発したり，履行能力欠如の場合は必要な援助を提供したりする制度です。義務違反の追及というよりは，協議などの方法により履行を促進させようとするものです。

5 具体的規制の例

ここまでは，環境保護についての国際法全体にかかわる基本的な原則や義務，履行確保制度についてお話ししてきました。もちろん，汚染の形態によって，それぞれに特有の具体的な国際法規則や制度が作られてきています。そこで以下，例として，地球温暖化の防止，海洋汚染の防止，そして生物多様性の保護に対応する規則や制度について紹介します。

1 地球温暖化の防止

(1) 気候変動枠組条約

二酸化炭素などの温室効果ガスにより，気温上昇をはじめとする気候の変化が懸念されています。そこで，1992年リオ会議で採択されたのが，**気候変動枠組条約**です。本条約では，すべての締約国が，自国における温室効果ガス発生にかんする情報提供などの義務を負います（4条1項）。そして，先進締約国（日本を含むOECD加盟国とロシア，東欧など旧社会主義国）は，温室効果ガスを抑制するための措置をとる義務を負います（同条2項）。

CHART 図表 10.1　気温と海面水位の将来予測

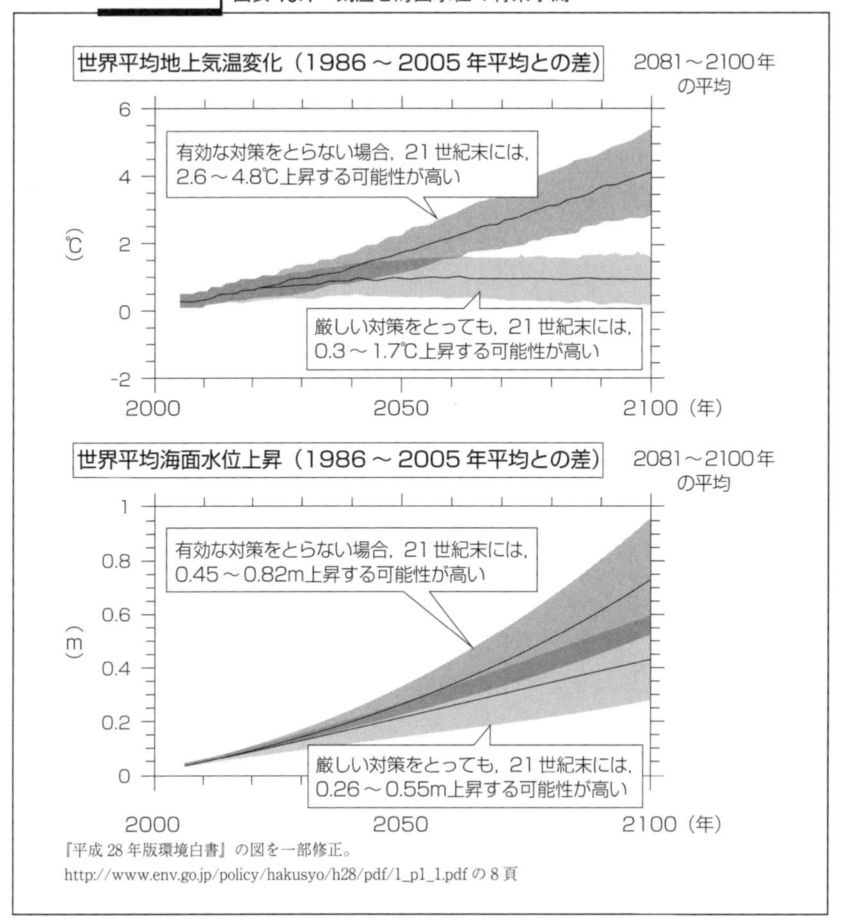

『平成 28 年版環境白書』の図を一部修正。
http://www.env.go.jp/policy/hakusyo/h28/pdf/1_p1_1.pdf の 8 頁

(2)　京都議定書

もっとも，気候変動枠組条約は，一般的な義務しか規定していません。さらに具体的な義務は，本条約の締約国会議で追加していくことになっています。1997 年第 3 回締約国会議で採択されたのが，**京都議定書**です。本議定書では，まず先進国が温室効果ガスを削減する義務を負うことになりました。歴史的に温室効果ガスを排出してきたのは，主に先進国であるという考えからです。「共通だが差異のある責任」の具体的あらわれといえます。⇒158頁前述の先進締約国は，温室効果ガスの排出量を，第 1 約束期間（2008 年～ 2012 年）において，

1990年の水準より少なくとも5%削減する義務を負うことになりました。日本の削減義務は6%でした。

もっとも，この約束達成のためには，植林，森林管理などの活動によって炭素の吸収が増えた分も利用可能です。さらに本議定書は，京都メカニズムと総称される，現実的かつ柔軟な方策を採用しました。つまり，先進締約国は，以下の方法を利用して排出枠を獲得できます。

・共同実施（6条）：温室効果ガス削減事業を別の先進締約国で行う
・クリーン開発メカニズム（12条）：事業を先進締約国以外の国で行う
・排出量取引（17条）：先進締約国の間で排出枠の取引可能

2014年に日本政府は，6%の削減目標達成を発表しました。第1約束期間中の5か年平均の総排出量は12億7,800万トンであり，1990年度比で1.4%の増加となりましたが，これに森林等吸収源および京都メカニズム利用を加味すると，5か年平均で基準年比8.4%減とのことです。さらに，2015年，気候変動枠組条約事務局は，先進締約国の第1約束期間の平均排出量を算定し，1990年比5%削減義務が達成されたと発表しました。

このように，第1約束期間の削減目標の達成が発表されましたが，京都議定書が地球温暖化抑制のために実際にどれだけ役立ってきたかには不安があります。当時最大の温室効果ガス排出国だったアメリカは，京都議定書の締約国となりませんでした。さらに，排出が急増している中国やインドは，そもそも削減義務を負いませんでした。

加えて，2013年後以降の枠組みについては，2012年12月にカタールのドーハで開催された京都議定書第8回締約国会合において，京都議定書の改正案が採択され，2013年から2020年までの8年間を第2約束期間として，1990年比18%削減が規定されましたが，日本などが不参加を表明し，未発効に終わりました。

(3) パリ協定へ

それでも，2020年以後の法的枠組みを定めた**パリ協定**が，2015年12月に採択されました。本協定では，産業革命前からの気温上昇を2℃より十分に低く抑える目標が掲げられました（2条）。そのうえで，途上国も含めたすべての国が自らの削減目標を5年ごとに提出・更新し，その達成のために国内措置をとる義務が規定されています（4条）。**途上国も削減に参加**することになったのが画期的です。たとえば中国は，2030年頃までのCO_2排出量のピークアウトやGDP当たり排出量の2005年比60～65％削減などの目標を提出しています。日本の目標は，2030年度までに2013年度比26％削減（2005年度比25.4％削減）です。

パリ協定の発効には，温室効果ガスの世界総排出量の55％以上を占める，55か国以上の国が参加する必要がありましたが（21条），当初の見込みよりも早く，2016年11月に発効しました。これからは，**さらなる具体的規則の策定が課題**となっています。

2 海洋汚染の防止

海洋汚染の多くは，沿岸国領土から有害物質が海に流れ込んだことによります。しかし，この形態の汚染についての国際的な規制は地域的なものをのぞいてあまり進んでいません。

ほかの形態として，海洋への廃棄物投棄があります。国連海洋法条約は各国に海洋投棄を規制する国内法の制定を命じるとともに，旗国などによる対応措置を要求しています（210条・216条）。より具体的な規則を定める条約としては，**ロンドン海洋投棄規制条約**（1972年）やその議定書（1996年）があります。

船舶から生じる汚染については，油廃棄を規制する**海洋油汚染防止条約**（1954年），本条約の内容を強化拡大する**海洋汚染防止条約**（MARPOL73/78）があります。**油汚染事故公海措置条約**（1969年）は事故処理のための沿岸国措置を認めます。汚染が発生した場合の損害賠償について定める条約もあります。油汚染損害について船舶所有者に賠償義務を負わせる**油汚染損害民事責任条約**（1969年）や，荷主（石油会社）の拠出金による補てんを図る**油汚染損害基金条約**（1971年）などです。

Column ㉙ トリー・キャニオン号事件

リベリア船籍の大型タンカーであるトリー・キャニオン号が1967年3月にイギリス南西沖の公海で座礁した事件は，世界を震撼させました。流れ出る大量の原油はイギリスのみならずフランスの海岸にまで達し，甚大な被害をもたらしました。国際法上は旗国が事故対応にあたるわけですが，本事件ではリベリアに対応能力がなかったため，イギリスは船体と流出した原油を爆撃して油を焼滅させる作戦に出ました。しかし当時，このような作戦を正当化する条約はありませんでした。そこで，事故後，イギリスは，同種の事故に沿岸国が対応措置をとることを認める条約の作成のイニシアティブをとり，1969年に油汚染事故公海措置条約が採択されました。

3 生物多様性の保護

地球上の多種多様な生き物と，それらがつながってバランスが保たれている生態系，さらに生物が過去から未来へと伝える遺伝子の個性までを含めた生命の豊かさを，**生物多様性**といいます。このような生物多様性を守るために，いくつかの条約が作成されてきました。

水鳥などの多様な生物を育む湿地の保全を目的とする条約として，**ラムサール条約**があります（1971年）。締約国は，自国領域内にある国際的に重要な湿地を指定し，指定された湿地は，登録簿に掲載されます。締約国は，掲載された湿地の保全および適正な利用を促進するため，計画を作成し，実施する義務を負います。

絶滅のおそれのある野生動植物の国際取引を規制するのが，**ワシントン条約**です（1973年）。絶滅のおそれが高い順に，種のリストが附属書I，II，IIIに掲載されています。これらの取引に際しては，原則として，輸出国の事前許可が必要です。とくに絶滅のおそれが高い附属書I掲載の種については，商業目的での取引は原則禁止され，かつ輸入国の事前許可まで必要とされます。

以上のような特定の地域・種の保全のみならず，生物多様性一般を対象とする包括的な枠組みとして1992年に採択されたのが，**生物多様性条約**です。本条約は，生物多様性の保全，生物多様性の構成要素の持続可能な利用，および遺伝資源の利用から生じる利益の公正かつ衡平な配分を主な目的とします。さらに，本条約により詳細な規則を加えるために，議定書が作成されています。たとえば，遺伝子組換え生物の越境移動を規制する**カルタヘナ議定書**（2000年）や，遺伝資源へのアクセスにかかわる事前同意や公正かつ衡平な利益配分のための規則を定める**名古屋議定書**（2010年）があります。

CHAPTER

第11章

経　済

本章では，国際経済活動を規律する国際法について解説します。国際経済活動とは，物品，資本，技術，サービスや人が営利目的で国境を越えて移動することをいいます。**本章ではとくに，「貿易」と「国際投資」という2つの国際経済活動を規律する国際法の内容を説明します。**

第1次世界大戦後の世界恐慌への対応として，各国はこぞって，排他的貿易ブロック化や自国通貨の切下げのような，保護主義的な貿易政策をとりました。これは，世界恐慌を長期化させただけでなく，第2次世界大戦の遠因にもなったといわれます。そこで，貿易については，第2次世界大戦終了後に多数国間の条約・制度が作られ，現在にいたるまで拡充されてきました。それに比べて，国際投資についての国際法規則の発展は遅れましたが，2国間条約を中心に近年急速に充実化が進んでいます。

1 貿易の規律

「貿易」としてまず思い浮かぶのは，自動車やコンピューターのような**物品の輸出入**でしょう。しかしそれだけでなく，アーティストが外国で興業するような**サービス貿易**なども含まれます。

貿易を規律する現代国際法の基本原理は，**公正な競争条件のもとでの自由な貿易**です。しかし，自由競争に完全に任せてしまうと，国家間の経済力の差をさらに拡大させるなどの弊害が起こります。そこで国際法は，自由貿易を推進しつつも，これらの要請による修正も施さなくてはなりません。

以上のような規律の代表的な国際法が，**WTO（世界貿易機関）協定**です。そこで以下では，主に WTO 協定の内容を紹介します。

1 WTO 協定の概要

(1) 成立までの経緯

自由貿易を確保するためには，安定した国際通貨制度と戦禍（か）で荒廃した経済の復興が必要でした。そのための枠組みを決めるべく，第 2 次世界大戦末期の 1944 年，アメリカのブレトン・ウッズで国際会議が開かれました。それを経て創設された機関が，国際為替相場（＝通貨の交換比率）安定，為替取引自由，国際収支が悪化した国への援助を目的とする **IMF（国際通貨基金）**と，戦後復興と途上国経済開発のために融資する**世界銀行（国際復興開発銀行）**です。日本も後者からの融資で，東海道新幹線や首都高速道路など多くのプロジェクトを成功させました。

自由貿易そのものの確保を目的とする条約が，**GATT（関税及び貿易に関する一般協定**。1947 年）です。GATT のもとでの度重なる多角的関税交渉において，関税（＝物品の輸出入時に課される税金）の引下げが進みました。1980 年代後半には物品貿易の自由化のみならず，サービス貿易自由化や知的財産権の保護なども議題とする交渉（ウルグアイ・ラウンド）がはじまり，1994 年に作成された

WTO 協定が翌年 1 月に発効し，**WTO** が発足しました。2021 年 9 月現在の加盟数は，164 にのぼります。GATT に比べて WTO では，貿易ルールが大幅に拡充され，組織もより強固になりました。

POINT

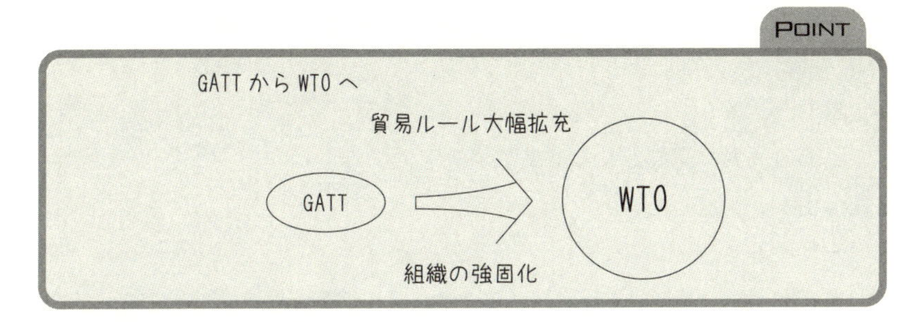

⑵ WTO 協定の構造

WTO 協定は，WTO 設立を定めた協定に加えて，**数多くの附属書により構成**されています。貿易にかんする具体的なルールは，附属書で規定されています。かつての GATT は，附属書 1A のなかに組み込まれています。

EXAMPLE

附属書の主な協定

附属書 1
- 附属書 1A　物品の貿易に関する多角的協定
  - 関税及び貿易に関する一般協定（GATT）
  - 農業協定
  - アンチダンピング協定
  - 補助金及び相殺措置に関する協定
  - セーフガードに関する協定
- 附属書 1B　サービスの貿易に関する一般協定（GATS）
- 附属書 1C　知的所有権の貿易関連の側面に関する協定（TRIPS 協定）

附属書 2　紛争解決に係る規則及び手続に関する了解（DSU）

⑶ WTOの組織

WTOを構成する主な機関は以下のとおりです。WTOにおける意思決定は，原則として，**コンセンサス方式**（**出席国の正式な反対がなければ採択**）でなされます。

① 閣 僚 会 議

全加盟国の代表で構成される最高意思決定機関です。少なくとも2年に1回開催されます。

② 一般理事会

全加盟国の代表（多くはジュネーブ代表部の長）で構成され，WTOの日常的業務の運営に責任を負う機関です。年6回開催されます。⑷で後述する紛争解決機関（DSB。月1回会合）や，各加盟国の貿易政策を定期的に検討する貿易政策検討機関（TPRB）としての任務も有します。

③ 事 務 局

ジュネーブにある常設の機関です。会合の準備や文書の作成など，技術的なまたは後方支援的な業務を行っています。事務局員は，国際公務員として各政府から独立した地位にあります。

⑷ 紛争解決手続

他の加盟国によるWTO協定違反などの措置により自国の利益が無効化されたり侵害されたりした場合，その国は，WTOが設ける紛争解決手続に申し立てることができます。この手続は，ほかの分野の解決制度と比べて**実効性に定評**があり，実際に数多くの紛争を解決に導いてきました。

手続の流れは次頁のPOINTのとおりです。

POINT

2国間協議要請
↓
2国間協議
↓これでも解決できなければ，申立国のパネル設置要請により
パネル設置決定
(その時々に選任される3名（原則）の委員で構成)
↓
パネル報告：事実認定，WTO協定上の義務の違反認定など
↓パネル報告に不満のある当事国は
上級委員会への申立て
(パネル報告のうち，法的問題・法的解釈のみ検討可。あらたな事実認定は不可)
↓
上級委員会報告
↓それでも被申立国が報告に従わないとき
代償措置の交渉：被申立国が他の産品の関税を引き下げるなどによって解決を目指す
↓合意不成立のとき
申立国が譲許関税やその他の義務の履行を停止（いわゆる対抗措置）

紛争解決機関による，パネル設置，パネル・上級委員会報告書の採択および義務履行停止の承認のような重要な手続上の決定には，**ネガティブ・コンセンサス方式**（**＝全加盟国が異議を唱えないかぎり採択**）がとられています。その結果，被申立国が反対してもほぼ自動的に手続が進みます。GATT時代はコンセンサス方式が採用されており，被申立国が事実上拒否権を有していたために，手続が進まないことがありました。したがって，WTO協定では手続を進めるための改善がなされたことになります。

2 物品貿易自由化のための基本原則

WTO協定の最大の目的は，**自由で平等な多数国間貿易秩序の実現**です。そのための（とくに物品貿易についての）基本原則は，次頁のとおりです。

POINT

① 貿易障壁の削減：関税以外の貿易障壁を原則禁止，交渉により関税を引き下げ
② 無差別原則：最恵国待遇，内国民待遇

順番にもう少し詳しく説明しましょう。

(1) 貿易障壁の削減

貿易障壁を削減することにより，市場アクセスの改善を図ります。貿易障壁には，関税や，数量制限，補助金などがあります。

まず**原則として，関税以外の貿易障壁**（**数量制限など**）**は禁止**されます（GATT 11条1項）。

関税は禁止されていませんが，**交渉により引き下げていくことが求められています**。交渉により妥結された関税率は，各国の譲許表に記載され（譲許関税率），締約国はそれを超えて課税できません（GATT 2条）。

Column ㉚ 中国のレアアース等の輸出にかんする措置事件

中国は，レアアース（蛍光体やレーザーなどの材料）などについて，輸出税の賦課や輸出割当といった輸出規制を行っており，WTO協定との整合性が問題になりました。2012年3月13日，日本は，アメリカおよびEUとともに，協議要請を行いました。しかし具体的な解決にいたらなかったため，同年6月，三者は合同でパネル設置要請を行い，同年7月にパネルが設置されました。

2014年3月，パネルは報告書を公表し，中国の輸出規制について，GATT 11条1項および中国のWTO加盟議定書11条3項（輸出税の禁止）等に違反すると判断し，同年8月に公表された上級委員会報告書も，パネルの判断を支持しました。同年8月29日，両報告書は紛争解決機関会合にて採択されました。中国は，同年12月に数量制限を撤廃し，2015年5月1日から輸出税を撤廃しました。

(2) 無差別原則

(a) 最恵国待遇原則

この原則は，加盟国が**ある国に有利な待遇を与えれば，ほかのすべての加盟国にも同じ待遇を与えなければならない**というものです。関税などである国が得た有利な条件が多数の国に広がることで，貿易自由化が進展することになります。具体的には，GATT 1 条 1 項で規定されています。

たとえば，A 国が B 国からの産品の関税を引き下げたならば，C 国以下の国からの同種の産品への関税も同じにしなければなりません。

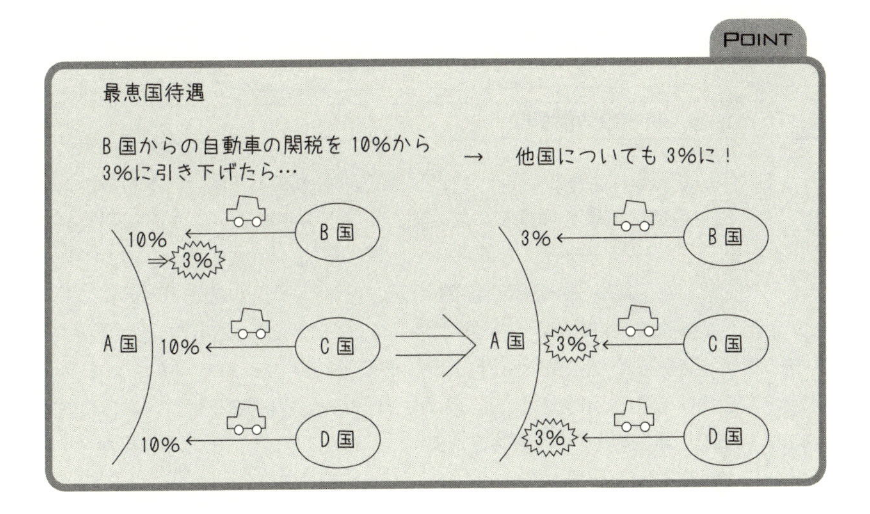

(b) 内国民待遇原則

この原則は，**自国領域内において内外差別をしない**ことを求めるものです。つまり，**ほかの加盟国の産品や国民にたいして，自国の産品・国民に付与している待遇よりも不利でない待遇を付与**しなければなりません。これにより，国内措置（内国税賦課など）による保護主義的政策を回避することになります。具体的には，GATT 3 条で規定されています。

たとえば A 国は，B 国からの産品に課す内国税を，自国の同種の産品に課すものよりも高くしてはいけないことになります。

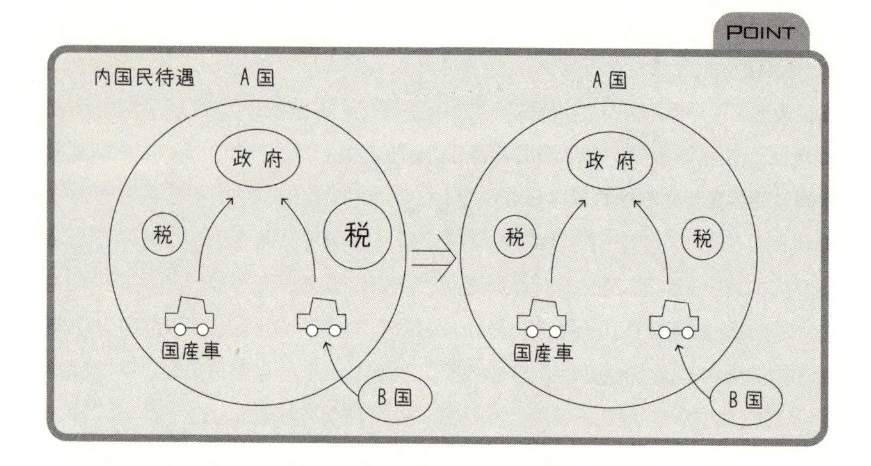

Column ㉛ 日本の酒税事件

日本が申し立てられた有名な事件として，酒税事件があります。日本の酒税法では，日本の焼酎業者を保護するために，焼酎への税率よりほかの蒸留酒（ウィスキー，ブランデーなど）への税率が大幅に高く設定されてきました。これに不満を感じた，焼酎以外の蒸留酒の輸出国（アメリカ・EC 諸国・カナダなど）は，税率格差が GATT 3 条（内国民待遇）に違反すると申し立てました。

申立て後，当事国間の協議が行われましたが不調に終わり，1995 年 9 月 14 日にパネル設置が要請されました。1996 年 7 月 11 日のパネル報告書は，日本の酒税法は GATT 3 条に違反すると結論づけました。それにたいして，日本は同年 8 月 8 日に上級委員会に不服申立てをしました。上級委員会は，同年 11 月 1 日に採択された報告書で，パネル報告を原則的に支持する結論を下しました。敗れた日本は，報告に従って酒税法を改正し，税率格差を是正しました。

3 例外——国内産業保護のための物品貿易制限

今まで述べてきたように，WTO 協定の目標は，自由で平等な貿易秩序の実現です。しかし，貿易の自由化により輸入品との競争に敗れ，国内産業が壊滅してしまうことまで奨励するわけではありません。そこで，輸入によって国内産業が損害を被った場合に，国内産業を保護する措置が認められることがあります。これには，国内産業の重大な損害に対応する**セーフガード措置**，不当に安い輸入品に対応する**アンチダンピング措置**，企業間の競争をゆがめることがありうる政府補助金に対応する**補助金相殺措置**などがあります。たとえば，一定の要件下で譲許関税率を超える特別関税の賦課や数量制限の実施などが認められます。

4　農産品貿易についての特別規則

農産品は，通常の物品と比べて，自由貿易になじみにくいという特徴があります。自国民への食糧の安定供給のために，自国農業を保護する必要があることなどが理由です。そこで，GATT では，一定の特別扱いがされていました。11 条は 1 項で数量制限を禁止しつつ，2 項で農産品についての例外を定めています（食糧不足防止のための輸出禁止・制限，国内過剰農産品の生産調整のための輸入制限）。逆にいえば，これらの例外以外は原則どおり数量制限が禁止されるはずでしたが，あまり厳格に適用されてきませんでした。

そこで，ウルグアイ・ラウンドでの交渉の末，**農業協定**が成立しました。農産品貿易は，農業協定が特別の逸脱規定を設けている場合をのぞいて，WTO の一般的規律に服します。具体的には，関税以外の貿易障壁を撤廃することになりました（農業協定 4 条 2 項）。1999 年 4 月に日本政府は，コメについて数量制限を撤廃して関税化に踏み切りました。

5　物品貿易以外の規律

GATT は，自動車などのような物品の貿易の自由化を目指した条約ですが，WTO 協定では，**物品貿易以外の貿易にも規律が拡大**しました。それぞれの特徴に応じて，規定内容に相違があります。

(1)　サービス貿易

サービス貿易とは，金融，運輸，通信，建設，流通などのサービスの国際取引をいいます。たとえば，海外へのオンライン語学講座，海外在住の弁護士からの法務アドバイス，観光客による現地でのサービス消費，アーティストによる外国での興業などがあります。このようなサービス貿易は，世界の貿易の約

2割を占めています。サービス貿易における特徴は，関税などより，サービス提供についての国内規制のほうが重大な貿易障壁になる点です。さらには，文化・伝統の保護などの公共政策目的の規制とのバランスを考慮する必要があります。

GATTではサービス貿易についての規定はありませんでしたが，世界最大のサービス貿易収支黒字国であるアメリカが，ウルグアイ・ラウンドの交渉議題にサービス貿易を追加することを主張しました。その結果採択されたのが，**サービスの貿易に関する一般協定**（GATS）です。GATSは，サービス貿易については漸進的自由化の方針で，柔軟な規律となっています。たとえば，最恵国待遇はすべてのサービス分野に適用されますが，内国民待遇は，交渉を通じて作成した自国の約束表で記載した分野のみで負う義務で，約束表に記載された条件や制限の範囲内で守ればよいとされています。

(2) 知的財産権

知的財産権とは，人の精神的活動の成果を対象とする権利（特許権，著作権など）です。工業所有権の保護に関するパリ条約（1883年），著作権の保護に関するベルヌ条約（1886年）はその先駆けとなる条約であり，現在でも効力を有します。しかし，さらなる権利保護の要請から，先進国の希望によりウルグアイ・ラウンドでの議題になりました。途上国は，自国企業による技術利用が制限されることにより経済発展が阻害されるとして反対しましたが，最終的に**知的所有権の貿易関連の側面に関する協定（TRIPS協定）**が成立しました。

同協定では，一般原則として内国民待遇（3条。GATSと異なり，原則としてすべての加盟国に一律に適用）と最恵国待遇（4条）を規定しています。保護の最低水準として，パリ条約とベルヌ条約で定める保護（WTO加盟国には両条約の遵守義務）に加えて，TRIPS協定による追加的義務を守る必要があります。

6 最近の動向——2国間または地域的条約へのシフト

WTOは多数国間での貿易秩序の構築を目指す組織ですが，例外的に地域主義・2国間主義も許しています。**欧州連合（EU）**や**南米南部共同市場（メルコスール）**などが代表例です。

CHART　図表 11.1　日本の EPA

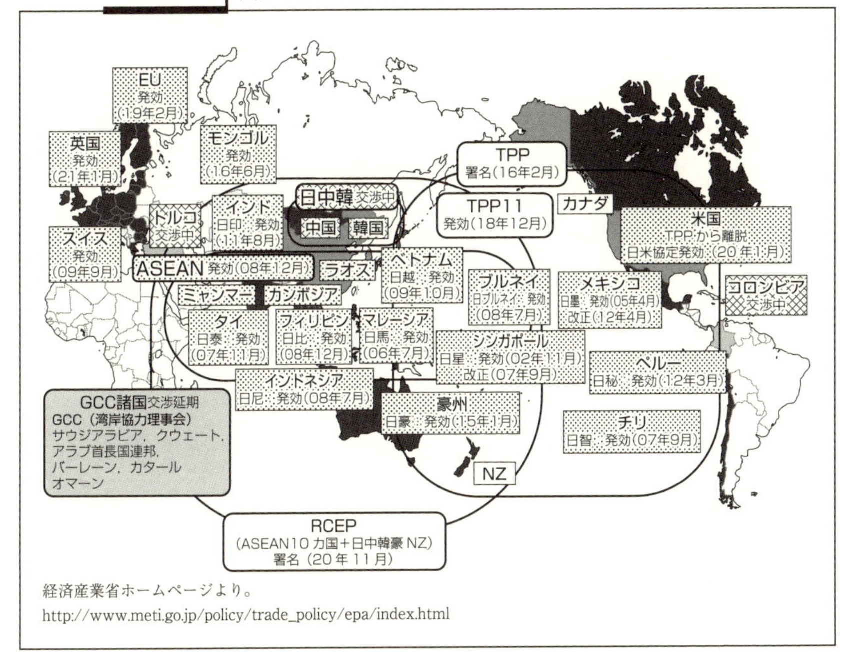

経済産業省ホームページより。
http://www.meti.go.jp/policy/trade_policy/epa/index.html

近年では，ドーハ・ラウンドの行きづまりを背景に，**地域統合へのシフト**がみられ，日本も 2000 年度以降政策転換をして，2002 年のシンガポールとの EPA（経済連携協定）署名を皮切りに，つぎつぎに EPA を締結しています。2021 年 9 月時点での発効数は 19 です。今後さらに増えていく予定です。EPA は貿易の自由化のみならず，⇒176頁 2 で述べる国際投資や，それ以外にも人の移動，知的財産保護，さまざまな分野での協力などまで含む，幅広い協定です。

Column ㉜　環太平洋パートナーシップ（TPP）協定

本協定は，太平洋を囲む 12 か国（オーストラリア，ブルネイ，カナダ，チリ，日本，マレーシア，メキシコ，ニュージーランド，ペルー，シンガポール，アメリカ，ベトナム）で交渉が進められてきた経済連携協定（EPA）です。2015 年 10 月のアトランタ閣僚会合において大筋合意にいたり，2016 年 2 月に署名されました。

本協定には，物品貿易はもちろんのこと，サービス貿易や知的財産権保護，対外投資，環境基準，労働基準，紛争解決手続など，多岐にわたるルールが含まれています。しかし，2017 年 1 月にアメリカが離脱したため，他の 11 か国が協定の早期発効に向けた検討を行うことで合意し，同年 11 月に環太平洋パートナーシップに関する包括的及び先進的な協定（TPP 11 協定）が大筋合意され，2018 年 3 月に署名されました（同年 12 月に発効）。TPP から離脱したアメリカは 2 国間での交渉にシフトして，2019 年 10 月に日米貿易協定が署名されました（2020 年 1 月発効）。

国際投資の規律

1 投資協定の増加

国際投資には，外国での企業の設立のような，外国で事業活動をするための経営支配をともなう資本の移転（国際直接投資）や，外国株式の購入のような，経営支配をともなわずに配当や利子などの利益の獲得を目的として行われる資本の移転（国際間接投資）があります。

国際投資の保護は，伝統的には 2 国間通商航海条約や慣習国際法で規律され，外交的保護による国際請求により実現されるのみでした（第 **5** 章 **1 4**⇒64頁）。近年は，主に 2 国間投資協定の増加により，規律の網が急速に整備されてきています。さらに，経済連携協定（EPA）の「投資」章で規定されることもあります。

伝統的な投資協定は，先進国間の通商航海条約から，投資関連規定だけを取り出し，先進国が途上国と 2 国間で締結したのがはじまりです。主に投資後の活動の保護が対象（投資財産の管理，運用，処分など）でした。たとえば，日中投資保護協定（1989 年発効）では，内国民待遇の適用は投資後のものに限定されていました。他方，最近の投資協定では，投資保護のみならず投資自由化（外資参入促進）も規定する傾向があります。

CHART 図表 11.2 日本の投資協定（2021 年 9 月現在）

	投資協定：	
1	エジプト	1978 年 1 月発効
2	スリランカ	1982 年 8 月発効
3	中国	1989 年 5 月発効
4	トルコ	1993 年 3 月発効
5	香港	1997 年 6 月発効
6	バングラデシュ	1999 年 8 月発効
7	ロシア	2000 年 5 月発効
8	モンゴル	2002 年 3 月発効
9	パキスタン	2002 年 5 月発効
10	韓国	2003 年 1 月発効
11	ベトナム	2004 年 12 月発効
12	カンボジア	2008 年 7 月発効
13	ラオス	2008 年 8 月発効
14	ウズベキスタン	2009 年 9 月発効
15	ペルー	2009 年 12 月発効
16	パプアニューギニア	2014 年 1 月発効
17	クウェート	2014 年 1 月発効
18	イラク	2014 年 2 月発効
19	中国・韓国	2014 年 5 月発効
20	ミャンマー	2014 年 8 月発効
21	モザンビーク	2014 年 8 月発効
22	コロンビア	2015 年 9 月発効
23	カザフスタン	2015 年 10 月発効
24	ウクライナ	2015 年 11 月発効
25	サウジアラビア	2017 年 4 月発効
26	ウルグアイ	2017 年 4 月発効
27	イラン	2017 年 4 月発効
28	オマーン	2017 年 7 月発効
29	ケニア	2016 年 8 月署名
30	イスラエル	2017 年 2 月署名
31	ヨルダン	2020 年 8 月発効
32	アラブ首長国連邦	2020 年 8 月発効
33	コートジボワール	2021 年 3 月発効
34	ジョージア	2021 年 7 月発効

	EPA 投資章：	
1	シンガポール	2002 年 11 月発効
2	メキシコ	2005 年 4 月発効
3	マレーシア	2006 年 7 月発効
4	チリ	2007 年 9 月発効
5	タイ	2007 年 11 月発効
6	インドネシア	2008 年 7 月発効
7	ブルネイ	2008 年 7 月発効
8	フィリピン	2008 年 12 月発効
9	スイス	2009 年 9 月発効
		＊ベトナム（投資協定準用）2009 年 10 月発効
10	インド	2011 年 8 月発効
		＊ペルー（投資協定準用）2012 年 3 月発効
11	オーストラリア	2015 年 1 月発効
12	モンゴル	2016 年 6 月発効
13	TPP11 協定	2018 年 12 月発効
14	EU	2019 年 2 月発効
15	ASEAN	第一改正議定書 2020 年発効
16	英国	2021 年 1 月発効

2 投資協定の主な規定内容

(1) 内国民待遇

自国の国民・企業よりも不利でない待遇を，相手国の投資家に与えることが要求されます。最近では，投資前の段階での内国民待遇も要求されることがあります。これは，相手国の投資家に門戸が開かれることになり，投資の自由化としての意義があります。

⑵ 最恵国待遇

最も有利な待遇を与えている第三国の投資家と同等の待遇を，相手国の投資家に与える必要があります。

⑶ 収用の条件

収用とは，国家が相手国の投資家の投資財産を奪うことです。収用の要件は一般的に，①公共目的，②差別的でないこと，③正当な法の手続の遵守，④迅速かつ十分で実効的な補償です。十分な補償とは，通常，収用時の投資財産の公正市場価格をさします。

⑷ 義務遵守条項（アンブレラ条項）

この条項は，受入国が投資家との個別の投資契約などで負った義務の履行を，義務づけるものです。その意義は，契約上・国内法上の義務違反を同条項違反として，投資条約の紛争解決手続を利用できるようにすることです。

⑸ 公正衡平待遇

投資受入国は，相手国の投資家・投資財産に公正かつ衡平な待遇を与えなければなりません。この義務は抽象的で当初はそれほど注目されていませんでしたが，国があからさまに外国投資家の投資財産を奪うことは少ないゆえに上述の収用が容易に認められないことから，協定違反を主張するために本義務違反に依拠する例が増加し，注目されるようになりました。より具体的には，最近の仲裁例で，「投資家の正当な期待」が保護されなかったのだから公正衡平待遇条項違反が生じる，という判断が多く示されています。投資受入国による，投資を呼び込むための活動を信頼して投資を行った投資家の期待を保護する，という判断です。

CHART　図表 11.3　投資家対国家の投資仲裁事件数（1987～2018 年）

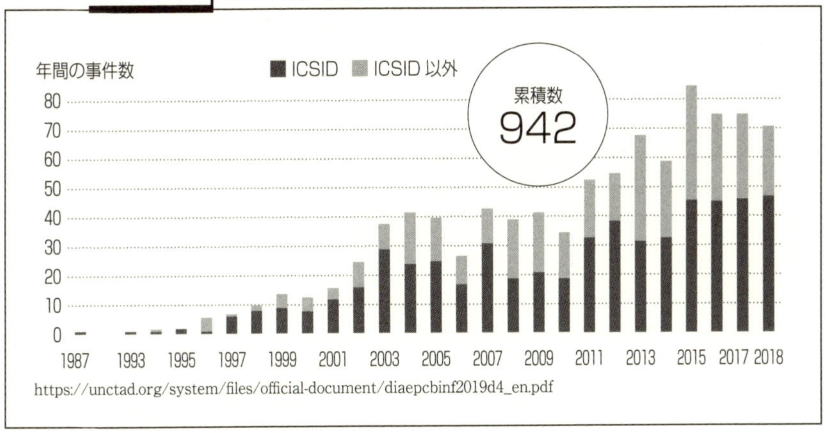

https://unctad.org/system/files/official-document/diaepcbinf2019d4_en.pdf

(6) パフォーマンス要求禁止

これは，投資受入国が相手国の投資家の投資・事業活動を認めるにあたって，投資活動の内容について条件を付すことを禁止する規定です。禁止される条件には，ローカルコンテント要求（自国内での産品生産に，一定の比率の自国企業の産品（とくに部品）の購入・使用を要求すること）などさまざまなものがあります。

(7) 紛争解決条項

⇒176頁

1 で述べたように，伝統的には，投資家保護は国籍国による国際請求（外交的保護）に頼らざるを得ませんでした。しかし，その前提として投資受入国内の救済手続を利用し尽くす必要がある（国内救済完了規則）うえに，請求するかどうかは国籍国の裁量です。逆に請求すれば，国家間紛争に転化してしまうという問題があります。投資家と投資受入国との間の個別契約に仲裁裁判条項が挿入されればよいですが，そもそも受入国が挿入を拒むことがありました。

そこで近年急速に活発化しているのが，投資協定に設けられている投資家対国家紛争解決（ISDS）条項にもとづく**国際投資仲裁**です。これには投資受入国の個別の同意が不要で，国家間紛争に転化させずに紛争を解決することができます。

国際投資仲裁として最も利用されているのが，**ICSID**（**投資紛争解決国際センター**）**仲裁**です。そのほかにも UNCITRAL（国連国際商取引法委員会）仲裁規則にもとづく仲裁などがあります。

Column ㉝ サルカ事件

チェコでは，1994年から，国営銀行を4つの大規模銀行に分割し，民営化する改革が行われました。そのうちの1つのIPBにかんしては，野村證券グループのイギリス法人ノムラ・ヨーロッパが，1998年に46%の株式をチェコ政府から買い取りました。そしてノムラ・ヨーロッパは，オランダに設立した会社であるサルカに，取得したIPB株を譲渡しました。

ところが，同時期に，4大銀行は深刻な不良債権問題に直面しました。チェコ政府は，IPBをのぞくほかの3大銀行に財政支援を行う一方で，IPBについては公的管理下におき，同社株の取引を停止しました。公的管理人は，4大銀行の1つのCSOBにIPBを売却するとともに，同政府はCSOBにたいしてIPB救済のための財政支援を行いました。その後，サルカがIPB株を処分することを禁止する警察命令が出されました。

2001年7月にサルカは，オランダ・チェコ投資協定を援用し，UNCITRAL仲裁規則にもとづく仲裁裁判に本件紛争を付託しました。仲裁廷は，同協定3条（公正衡平待遇・侵害禁止）違反を認めました。そののち，2006年に和解が成立し，チェコ政府が野村グループに約187億円および金利を支払うことが，合意されました。

CHAPTER

第12章

武力の規制

本章では，武力の規制のための国際法規則について解説します。武力の規制のためにまず有効なのが，兵器の開発や保有を制限しておくことです。そこでまず，核兵器，化学兵器，生物兵器といった大量破壊兵器の規制を中心に紹介します（①）。つぎに，他国からの武力攻撃や平和に対する脅威への（武力も含む）対応措置として，国連安保理の強制措置および自衛権について解説します（②）。さらに，武力紛争が生じてしまった場合のために，戦闘の規制や犠牲者保護のためのさまざまな義務を整備しておく必要があります（③）。そして，停戦合意がなされた場合には，停戦を維持して事態の悪化を防ぐための活動が必要です（④）。

1 軍　縮

1 核兵器

(1) 核兵器の不拡散

第2次世界大戦中に核兵器を開発し，広島・長崎で使用したアメリカに加えて，1960年代なかばまでに，ソ連（当時），イギリス，フランス，中国が核兵器保有国となりました。それ以上保有国を増やさないために締結されたのが，**核兵器不拡散条約**（NPT。1968年）です。

同条約は，1967年1月1日以前に核爆発実験を行った国（「核兵器国」とよばれ，実際上は上記の5か国）と，「非核兵器国」とよばれるその他の国を区別し，それぞれ異なる義務を課しています。前者の核兵器国は，核兵器の移譲や非核兵器国による取得への援助などを禁じられています（1条）。後者の**非核兵器国は，核兵器の取得，製造などを禁止**され（2条），製造禁止の義務遵守の検証のため，国際原子力機関（IAEA）による包括的保障措置（核物質保有施設における核物質の在庫量管理や，査察官による施設への立ち入り調査など）の適用も義務づけられています（3条）。ただし，いずれの国も，原子力発電などのように，平和的目的のために原子力を利用する権利が保障されています（4条）。

NPTは，**主に核兵器国よりも非核兵器国に多くの義務を負わせる**もので，差別的側面があります。もっとも，核兵器国を含めた締約国は，核軍縮に向けて誠実に交渉を行うことが定められています（6条）。

このようなNPTですが，必ずしも思惑どおり核不拡散を実現できているわけではありません。NPT採択後に核兵器を保有するようになったインドとパキスタン，および保有国と考えられているイスラエルが，NPTに未加入です。さらに，一部の締約国（イラク・北朝鮮・イラン）にも，核兵器開発の疑惑が指摘されてきました。北朝鮮は，2003年にNPTからの脱退を通告したあと，2006年以降，何度か核実験を実施しています（**Column ㉟** ⇒190頁）。また，最近では，テロ集団などへの核兵器の拡散も懸念されています。

⑵ 核実験の禁止

1954年の南太平洋マーシャル諸島のビキニ環礁でのアメリカの核実験により，付近住民のみならず，日本の漁船である第五福竜丸の乗組員までもが被害を受けた事件（⇒95頁 Column ⑲）などを契機に，核実験の規制が議論されてきました。そして1962年，ソ連によるキューバでの核ミサイル基地建設にたいして，アメリカは基地の撤去・破壊に応じなければ全面戦争も辞さないと述べました（キューバ危機）。ソ連がアメリカ側の要求を受け入れて危機は収束しましたが，その反省から米ソがイギリスとともに締結したのが，**部分的核実験禁止条約**（**PTBT**）です（1963年）。本条約は，大気圏内，宇宙空間，水中における核爆発実験を禁止しました。

しかし，本条約は地下での実験を禁じませんでした。したがって，すでに地下で核実験をする能力を有していた米ソ英に有利であるとして，1960年代から実験を開始したばかりのフランスや中国は，署名すらしませんでした。結局，本条約発効後も，世界での核実験の回数は減少しませんでした。

しかし，冷戦終焉後の軍事戦略の変化により，1990年代には核実験の回数は大幅に減少しました。また，核兵器不拡散体制の強化のため，核実験の包括的な禁止が必要と考えられました。そこで，地下での核爆発実験も含めて禁止する**包括的核実験禁止条約**（**CTBT**）が作成されました（1996年署名開放。ただし，核爆発をともなわない実験は禁止されていません）。CTBTの発効要件は，研究用または発電用の原子炉の保有国（44か国）の批准です（14条1項参照）。しかし，44か国のうち8か国が未批准のために，いまだ発効の見通しがたっていません。

⑶ 地域的な非核の試み

全世界ではなく，特定の地域において，核兵器の製造，実験，使用，配備などが禁止されることがあります。このような地域は，**非核兵器地帯**とよばれます。主な例として，南極（南極条約。1959年），ラテンアメリカ（トラテロルコ条約。1967年），南太平洋（ラロトンガ条約。1985年），東南アジア（バンコク条約。

CHART 図表 12.1 非核兵器地帯

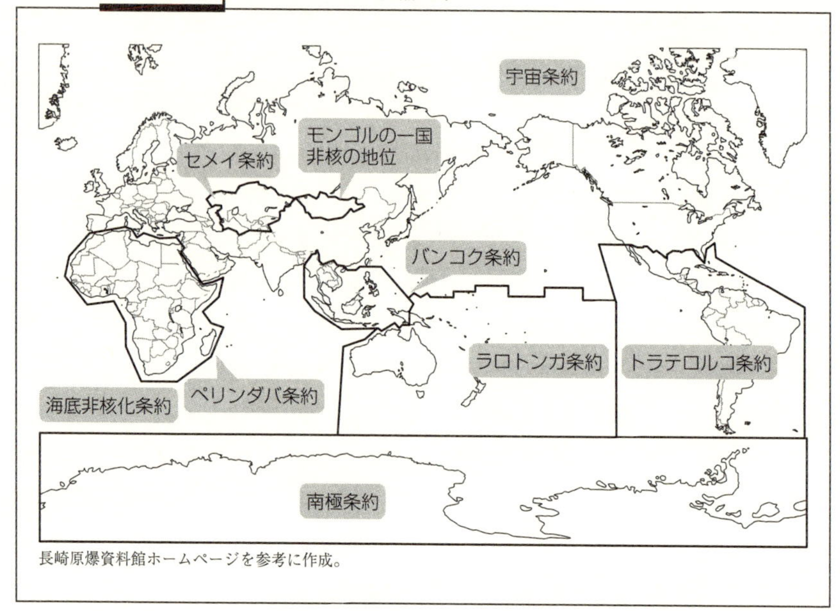

長崎原爆資料館ホームページを参考に作成。

1995年), アフリカ (ペリンダバ条約。1996年), 中央アジア (セメイ条約。2006年) があります。

(4) 核兵器使用の禁止へ

2017年7月に**核兵器禁止条約**が採択され, 2021年1月に発効しました。本条約は, 核兵器その他の核爆発装置の開発, 実験, 生産, 製造, 取得, 保有, 貯蔵, 移譲, 受領, 使用, 使用の威嚇を禁止しています (1条)。使用の威嚇の禁止は, 核抑止政策の否定をも意味します。さらに, 締約国は核兵器その他の核爆発装置の保有状況, 自国内における他国の核兵器その他の核爆発装置の存在状況などについての申告義務を負います (2条)。廃棄は将来設置される国際当局が検証し, 締約国は申告された核物質の平和的原子力活動からの転用がないことおよび未申告の核物質または原子力活動が存在しないことについて信頼できる確証を与える上で十分な保障措置協定を国際原子力機関 (IAEA) と締結します (4条)。

本条約は核軍縮にとって画期的な条約ですが, 核兵器保有国およびその同盟国 (日本含む) が未批准のため, 実効性が課題となっています。

2　その他の大量破壊兵器

大量破壊兵器には，核兵器のほかに，化学兵器と生物兵器があります。以下，それぞれを禁止する条約を紹介します。

(1)　化学兵器

化学兵器は，かつては「毒ガス」などとよばれ，塩素やサリンなど多くの種類があります。第1次世界大戦でドイツ軍がベルギーのイープルで塩素ガスを使ったのが，最初の大規模な使用例です。その後，連合国側も生産・使用し，同大戦中に使用された化学兵器は30種類，12万トン以上にのぼるといわれています。

化学兵器の軍縮交渉はなかなか進みませんでしたが，ようやく**化学兵器禁止条約**（1992年）に結実しました。本条約は，北朝鮮やイスラエルなどが未加入ですが，2013年にはシリアが加入しており，核軍縮関連の条約に比べると多くの締約国を有します。

本条約は，**化学兵器の開発，生産，取得，貯蔵，保有，移譲，使用などを禁止**しています（1条1項）。締約国は，自国が所有・占有する，または管轄・管理下の化学兵器・生産施設を廃棄する義務を負います（1条2項・4項）。**生産施設の廃棄まで義務づける**のは，同種の条約では前例がなく，本条約の特徴となっています。廃棄期限は，条約発効から10年以内です（つまり2007年4月まで。4条6項・5条8項）。もっとも，要請すれば最長5年の期限延期が可能であり，上記期限よりもあとに加入した国については，執行理事会が廃棄手順を決定します（4条8項・5条10項）。

以上のような義務が履行されているかどうかを確認するために，本条約は検証措置（査察）を整備しています。産業施設の活動についての「産業検証」では，化学産業部門からの申告にもとづいた査察が行われます。廃棄については，「廃棄検証」が行われます。日本では，オウム真理教によるサリン製造施設が化学兵器生産施設とされ，化学兵器禁止機関の査察のうえ，1998年に廃棄されました。しかし，これらの検証措置は，基本的に，申告された化学兵器や施設のみを対象とします。そこで，ある国の条約違反を懸念するほかの締約国の要請による「申立て査察」（チャレンジ査察ともよばれます）も用意されています。要請があれば，化学兵器禁止機関の執行理事会の中止決定（4分の3の多数決）がないかぎり，査察が開始されます。しかし，実際の要請例はまだありません。

なお，ほかの締約国内に化学兵器を遺棄した国も，廃棄義務を負うと同時に（1条3項など），廃棄に必要な資金，技術，専門家，施設その他の資源を提供する義務を負います。日本は，1999年に中国と覚書を交わし，旧日本軍が中国に遺棄した化学兵器を発掘し，回収する作業を進めています。

(2) 生物兵器

生物兵器とは，ウィルスや細菌などを散布する兵器です。**生物兵器禁止条約**（1972年）は，生物兵器の開発，生産，貯蔵，取得，保有などを禁止しています（1条）。また，現存兵器については，廃棄または平和目的への転用を義務づけています（2条）。しかし，化学兵器禁止条約とは異なり，本条約には検証にかんする特段の規定がおかれていません。

3 通常兵器

対人地雷禁止条約（1997年）は，対人地雷の使用，開発，生産，取得，貯蔵，保有，移譲を原則的に禁止しています（1条1項）。さらに，締約国は，保有している地雷を条約発効から4年以内に，自国管轄下に敷設されている地雷を10年以内に廃棄することを義務づけられています（4条・5条）。

さらに，2014年には，多様な通常兵器（戦車，戦闘機，軍艦，ミサイル，小型武器など）の貿易を規制する，**武器貿易条約**が発効しています。たとえば，締約国は，輸出されようとする兵器が人道法・人権法の重大な違反のために使用される可能性を評価し，その危険性が高い場合は輸出を許可しない義務を負います（7条）。

2 安全保障

国連憲章2条4項は，武力の威嚇または武力の行使を禁止しています。しかし，他国から武力攻撃を受けたり，その他，平和に対する脅威が生じた場合には，その対応のために，ときには武力行使禁止などの国際義務と抵触する措置が必要なことがあります。そこで，国連憲章は，組織的判断による手段として**国連安保理による強制措置**を，個別国家の判断による手段として**自衛権**を認めています。

1 組織的判断による手段——国連安保理による強制措置

(1) 集団安全保障

国連憲章は，安全保障のための制度として，**集団安全保障の制度を採用**しています。これは，対立関係にある国も含めて多数の国が相互に武力の不行使を約束し，約束を破る国がある場合には，残りの国すべての共同の力でこれを鎮圧する方式です。

この制度は，それまで国際社会の安全保障制度の中核だった勢力均衡システムにとってかわることを意図して，国際連盟によりはじめて導入されました。

連盟規約は，前文の冒頭で戦争に訴えない義務を述べ，戦争または戦争の脅威を連盟全体の利害関係事項と位置づけました（11条1項）。そのうえで，紛争の平和的解決を規定し，国際裁判所判決または連盟理事会報告から3か月間の戦争禁止（戦争モラトリアム）などを定めました（12条1項など）。これらの約束に反した戦争は他の全加盟国への戦争とみなされ，ほかの全加盟国は戦争開始国との通商関係を断絶する義務を負いました（16条1項）。

しかし，連盟規約が予定した制度は，軍事的措置よりも，16条の非軍事的措置が中心でした。その非軍事的措置も，イタリアによるエチオピア侵略にたいするものが唯一の発動例であり，しかもこのときの措置は，大きな効果をあげることなく失敗に終わりました。

(2) 国連憲章が規定する制度

連盟時代の反省から，国連憲章では，軍事的措置の強化が図られています。具体的な手続は第7章で規定されています。

まず，**安保理が，平和に対する脅威，平和の破壊，侵略行為の存在のいずれか**

を認定したうえで，強制措置の内容を勧告または決定します（39条）。強制措置には，**非軍事的措置**（41条）と，それが不十分な場合にとられる**軍事的措置**（42条）の2種類があります。前者は，物品の輸出入停止や航空機乗り入れ禁止のような経済的措置（いわゆる経済制裁）や外交関係の中断・断絶など，軍隊による行動以外のすべての措置を含みます。これらの強制措置を定める決議の採択のためには，安保理の15理事国のうち，5常任理事国（米英露仏中）を含む9理事国の賛成が必要です（27条3項）。すべての常任理事国の賛成がなければ決議は採択されないことから，**常任理事国には「拒否権」**があります。

つぎに，安保理が決めた強制措置が実施されます。非軍事的措置は，国連加盟国がそれぞれ実施することになります。とくに，**「決定」された措置内容については，すべての国連加盟国が実施義務**を負います（25条・48条）。国連憲章103条では，憲章にもとづく義務と他の条約上の義務が抵触するときは，前者が優先されると規定されていることから，非軍事的措置の実施義務は，WTO協定などの経済条約や航空協定などの義務に優先します。軍事的措置は，主に安保理が実施することが規定されています。具体的には，加盟国が安保理との特別協定により兵力を提供し（43条），安保理がその兵力を使用して行動します（42条）。いわば，「国連軍」としての行動になります。兵力の使用計画や指揮などについては，軍事参謀委員会が助言・援助をすることになっています（47条）。

(3) 実　践

(a) 冷戦期

しかし，冷戦期は，東側諸国と西側諸国の対立が，そのまま安保理内にも反映されました。つまり，1960年代まではとくにソ連が，1970年代以降はとくにアメリカが，それぞれ自国陣営に都合の悪い決議の採択を阻止しようとして，何度も拒否権を行使しました。結果として，**安保理の強制措置の例はほとんどありませんでした。**例外が，朝鮮戦争での軍事的措置と，南ローデシアの人種差別政策および南アフリカのアパルトヘイト（人種隔離）政策にたいする非軍事的措置です。ただし朝鮮戦争での措置も，国連憲章が予定したような，特別協定にもとづいて加盟国が提供した兵力を使用して安保理自身が行動する方式ではありませんでした。

(b) 冷 戦 後

しかし，1980 年代末の冷戦終結により，常任理事国の意見の対立が緩和され，**安保理の強制措置が増加**します。その先駆けが，1991 年の**湾岸戦争**です。この戦争では，加盟国に「すべての必要な手段」をとる権利を与える決議 678 にもとづき，アメリカなどの多国籍軍はイラクにたいして武力を行使しました。

この湾岸戦争を契機として，安保理決議による強制措置が増加します。そこでの軍事的措置は，湾岸戦争時と同じく，**多国籍軍型の軍事行動を許可する方式**が用いられています。この方式の決議は，ユーゴ紛争やアフリカ諸国（ソマリア，リビア，リベリア，ルワンダ，コンゴ民主共和国，中央アフリカ，シエラレオネ，コートジボワール，マリ），アフガニスタン，東ティモール，アルバニア，ハイチにおける事態について採択されてきました。

Column ㉞ 湾岸戦争

隣国クウェートと国境紛争をかかえていたイラク（フセイン大統領）は，1990 年 8 月 2 日明け方にクウェートに侵攻し，数時間で全土を占領しました（湾岸危機の勃発）。同日に招集された安保理は，決議 660 を採択し，「国際の平和と安全の破壊」を認定して，イラク軍の即時・無条件撤退を要求しました。さらに 8 月 6 日には決議 661 により，国連憲章 41 条の非軍事的強制措置（経済制裁）を発動しました。8 月 25 日の決議 665 は，決議 661 の実施のために「状況が必要とする措置」をアメリカや西欧諸国などで構成される多国籍軍に要請し，海上封鎖が行われました。その後，国連事務総長，アラブ諸国，フランス，ソ連などによる平和的解決努力がなされますが，安保理は 11 月 29 日の決議 678 で，イラクが 1991 年 1 月 15 日までに安保理のすべての決議を履行しないならば，クウェート政府と協力する加盟国に「すべての必要な手段」をとる権限を与えました。賛成は 12 票（アメリカ・フランス・イギリス・ソ連など），反対は 2 票（キューバ，イエメン），棄権が 1 票（中国）です。国連事務総長の仲介活動もむなしく，期限までに平和的解決努力が実らなかったため，1991 年 1 月 17 日に多国籍軍がイラク軍にたいして空爆を開始し，2 月 24 日には地上戦も開始しました。2 月 27 日にイラクが安保理のすべての決議の受諾を表明したため，翌日に多国籍軍は攻撃停止を発表しました。

以上のような量的な拡大のみならず，質的な変化もみられます。「平和に対する脅威」とは，もともとは，主に国家どうしの戦争が想定されていました。しかし，今日では，国内紛争や武力紛争法（国際人道法）違反なども含めるようになっています。さらに，非軍事的措置（経済制裁）の方法として，相手国の国民全体への過大な打撃を回避するため，国家ではなく関係個人への制裁方式がとられる傾向があります。具体的には，個人資産の凍結や送金禁止，旅行（入国・通過）の禁止などです。このような措置は，「スマート・サンクション」とよばれます。武力紛争法などの違反者を訴追し処罰するために，安保理決議により旧ユーゴ国際刑事裁判所（ICTY）やルワンダ国際刑事裁判所（ICTR）も設置されました（⇒144頁第**9**章**4** **1**(**2**)）。

Column ㉟ 北朝鮮への非軍事的強制措置

北朝鮮の度重なる核実験および弾道ミサイル発射にたいして，安保理は非軍事的強制措置を指示してきました。とくに核実験後には，つねに決議が採択されています。はじめての核実験（2006年10月）のときには，安保理は決議1718（同年10月）において核実験を非難し，国際の平和および安全に対する明白な脅威の存在を認定したうえで，国連憲章第7章のもとで行動するとして，とくに41条の非軍事的措置を指示しました。その後，2度目（2009年5月）ののちに決議1874（同年6月），3度目（2013年2月）ののちに決議2094（同年3月），4度目（2016年1月）ののちに決議2270（同年3月），5度目（同年9月）ののちに決議2321（同年11月），6度目（2017年9月）ののちに決議2375（同年9月）が採択されています。

決議1718では，武器およびその関連物資やぜいたく品の禁輸，禁輸品の貨物検査，核やミサイルなどの開発関与者の入国・通過禁止や資産凍結が指示されました。その後の決議では，禁輸品目の拡大（石炭をはじめとする地下資源など）や入国・通過禁止および資産凍結の対象者の拡大，外交官の活動制限など，徐々に指示項目が増えています。加えて，「要請」にとどまっていた指示も，義務づけに変更されていっています。このようにして，非軍事的強制措置が強化されているのです。

2 個別国家の判断による手段――自衛権

前節までは安保理の強制措置を紹介してきました。しかし，安保理が国際の平和および安全の維持に必要な措置をとるまでの間，加盟国は，**「個別的又は集団的自衛の固有の権利」**として武力を行使することを認められています（国連憲章51条）。

それでは以下，個別的自衛権および集団的自衛権についてお話ししましょう。

(1) 個別的自衛権

(a) 発動の要件：武力攻撃の発生

個別的自衛権の発動として武力を行使するためには，**自国にたいして武力攻撃が発生していることが必要**です。

まず，「武力攻撃」はたんなる「武力の行使」（国連憲章2条4項）よりも狭く，規模が大きくて実質的な効果をともなう武力行使である必要があります。たとえば，国境パトロール部隊の偶発的な発砲のような小規模の武力行使は武力攻撃にあたらず，それにたいする自衛権の発動は認められないと考えられています。

つぎに，「発生」については，武力攻撃により被害が生じている場合に武力攻撃が「発生」しているのは，いうまでもありませんが，攻撃に着手された段階で「発生」しているといえるかには争いがあります（日本政府は肯定の立場です）。さらには，まだ武力攻撃の着手がなくても，着手が差し迫っているとして先制的な武力行使が自衛として認められるか（先制的自衛の問題）についても，賛否両論があります。

ある国が他国領域内の反政府勢力を支援している場合，支援国による当該他国への武力攻撃が発生しているとみなせるかが，ICJ ニカラグア事件で問題となりました。同事件の本案判決（1986年）は，ある国による他国にたいする正規軍の越境行動や非正規武装集団の派遣は武力攻撃にあたるが，他国内の反政府勢力への武器提供や訓練の実施程度では，それにあたらないと述べました。

POINT

国家による他国への介入の類型とその法的評価（ICJ ニカラグア事件 1986 年本案判決）

	武力攻撃	武力の行使	干渉
正規軍の越境行動	○	○	○
非正規武装集団の派遣（国連総会の 1974 年侵略の定義決議 3 条(g)）	○	○	○
反政府武装勢力への武器提供・訓練などの支援	×	○	○
反政府武装勢力への資金供与程度の支援	×	×	○

(b) 争点──非国家アクターによる攻撃も武力攻撃にあたるか

ここまでは，国家による攻撃を念頭においてきました。しかし，最近では，統治が脆弱な国家の領域内に拠点をおく非正規武装集団のような非国家アクターが，他国を越境攻撃する例が少なくありません。このような非国家アクターによる攻撃そのものが「武力攻撃」にあたるとして，攻撃を受けた国が当該集団にたいして自衛権を根拠に武力を行使できるかが問題となっています。

伝統的には，自衛権発動の前提となる武力攻撃の主体は，国家に限定されてきました。2004 年のパレスチナ壁事件 ICJ 勧告的意見も，「国連憲章 51 条は，ある国による他国への武力攻撃の場合の自衛の固有の権利の存在を認めている」と述べています。したがって，非正規武装集団による越境攻撃への対応としては，攻撃を受けた国による自衛権発動ではなく，集団が拠点をおいている国による取締り行為が想定されてきました。つまり，拠点国の警察が首謀者を逮捕し，裁判にかけるということです。

その一方で，実際には拠点国の取締りに期待できない場合が少なくないことから，攻撃を受けた国が直接に武装集団に反撃する必要が主張されています。理論的には，武力攻撃の主体を国家に限定しない説になります。上述のパレスチナ壁事件 ICJ 勧告的意見には，武力攻撃の主体を国家に限定する立場を批判する個別意見が付されています（たとえば，ヒギンズ裁判官）。2001年9月11日のアル・カイーダによるアメリカ同時多発テロ事件のあと，米英政府は，自衛権に依拠してアフガニスタンにおいて軍事行動を開始しました。この行動を非国家アクターによる武力攻撃への対応としての自衛権発動とみなせるかについて，議論があります。

(c) **自衛行為の要件**

武力攻撃の発生により自衛権の発動が認められても，発動された自衛行為は**必要性**，および**均衡性**という要件をみたさなければなりません。これは，国連憲章51条には明記されていませんが，慣習国際法により要求されています。

必要性要件がみたされるためには，武力行使のほかに合理的な対応手段が存在しないことを要するとする説が有力です。しかし，ICJの判断では，ほかの手段の不存在ではなく，武力攻撃への対応として具体的に必要な措置かどうかが問われており，たとえば軍事目標への武力行使かどうかなどが考慮されています（ICJオイル・プラットフォーム事件2003年判決）。

均衡性要件にかんしては，武力攻撃と自衛行為との間の均衡なのか，自衛行為とその目的との間の均衡なのかについて，学説上争いがあります。ICJ判決は前者の立場で，後者は上述の必要性要件に吸収されるようになっています。

さらには，以上の必要性・均衡性の要件をみたしていても，先に述べたように，自衛行為は，安保理が国際の平和および安全の維持に必要な措置をとるまでの間しか認められません。もっとも，自衛行為を停止させるような安保理の「必要な措置」とはどの程度の措置かについては，諸説があります。

なお，自衛行為の要件とまではいえませんが，国連加盟国は，自衛権の行使としてとった措置を安保理に報告する義務を負います。

(2) 集団的自衛権

国連憲章51条は，個別的自衛権のみならず，集団的自衛権も認めています。これは，他国への武力攻撃にたいし，自国が直接攻撃されていないにもかかわらず，武力をもって反撃する権利です。他国からの攻撃にたいする共同防衛を認めるものです。実際，アメリカとソ連の両陣営が対立していた冷戦期に，それぞれが共同防衛体制（NATOとワルシャワ条約機構）を形成するための法的根拠となりました。

Column ㊱ NATOとワルシャワ条約機構

NATO（北大西洋条約機構）は，ソ連に対抗するために1949年に発足した共同防衛体制であり，原加盟国は，アメリカ，イギリス，フランス，イタリア，カナダ，ベルギー，オランダ，ルクセンブルク，ポルトガル，デンマーク，ノルウェー，アイスランドです。その後，ギリシャとトルコ（1952年），西ドイツ（1955年），スペイン（1982年）が加入しました。

それにたいして，ワルシャワ条約機構は，ソ連，アルバニア，ブルガリア，チェコスロバキア，東ドイツ，ハンガリー，ポーランド，ルーマニアを原加盟国として，1955年に発足しました。

どちらの機構も常設の軍事組織をもち，東西ドイツを挟んで対峙しました。しかし，冷戦終結後の1991年に，ワルシャワ条約機構は解散しました。一方のNATOは，地域紛争の危機管理などをあらたな任務に加え，加盟国を東方に拡大させてきました。現在は30の加盟国により構成されています。

このように，集団的自衛権は，国家間の対立関係を前提として，共同防衛体制の「外部」に敵国が存在することを想定します。他方，前述**1**⇒187頁の集団安全保障は，対立関係にある国も含めて多数の国が相互に武力の不行使を約束し，その集団の「内部」で平和を乱す国があれば，残りのすべての国が一致団結して対応する制度です。したがって，これら2つは考え方が異なります。

それにもかかわらず，国連憲章で集団的自衛権が規定されたのは，1944年10月の草案（ダンバートン・オークス提案）で地域的機関の強制行動に安保理の許可が必要となり，かつその後のヤルタ会談（1945年2月）で常任理事国に拒否権が認められたことを受けて，地域的な共同防衛体制が妨げられるのをおそれたラテンアメリカ諸国が是正を要求したことがきっかけです。

ICJニカラグア事件1986年本案判決によれば，集団的自衛権を行使するためには，すでに述べた個別的自衛権の要件に加えて，①武力攻撃を受けた国が攻撃を受けたことを宣言しており，かつ，②その国からの要請があることが必要です。

POINT

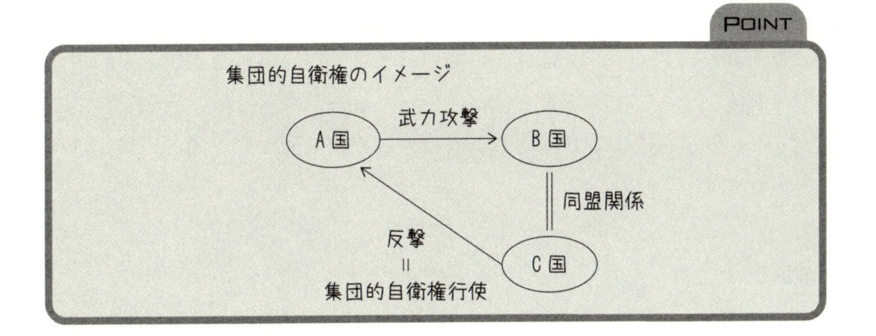

Column ㊲ 人道的介入

自衛権以外に個別国家の判断で武力を行使できる場合として，「人道的介入（人道的干渉）」をあげる立場があります。これは，ある国で大規模な人権侵害が生じている場合に，その停止のために他国が武力行使を含む強制的な介入を行うことです。

この点で注目されるのが，1999年のNATO軍によるユーゴ空爆です。ユーゴスラビア社会主義連邦共和国が分裂してできた新ユーゴスラビア（現在のセルビアとモンテネグロ）のコソボ自治州におけるアルバニア系住民への迫害を理由に，1999年3月からNATO軍が，コソボやベオグラードなどに大規模な空爆を行いました。同年6月にミロシェビッチ政権がNATOの求める和平協定を受け入れ，空爆は収束しました。この軍事行動について，人道的介入を理由に合法とする見解があります。

しかし，NATO軍による空爆には他国から少なからず批判があり，またなによりも，空爆参加国のほとんどは人道的介入による正当化を試みませんでした。このような事情から，人道的介入が武力行使禁止原則の例外として確立しているかは，いまだに不明確です。

3 日本の安全保障――日米安保体制

戦後の日本の安全保障は，アメリカとの共同防衛体制が基軸となってきました。サンフランシスコ平和条約とともに締結された旧日米安保条約（1951年）では，米軍の日本駐留を認めながら，アメリカによる日本防衛義務は規定されていませんでした。しかし，そのあとの新条約，つまり1960年に署名された日米安保条約は，どちらか一国が武力攻撃を受けた場合にもう一方の国が対処行動をする義務を規定しています（5条）。ここで共同防衛義務が規定されたことになります。

ただし，5条が規定する共同防衛義務は，若干変則的です。同条の規定はつぎのとおりです。

> 日米安保条約5条
>
> 「各締約国は，日本国の施政の下にある領域における，いずれか一方に対する武力攻撃が，自国の平和及び安全を危うくするものであることを認め，自国の憲法上の規定及び手続に従って共通の危険に対処するように行動することを宣言する。〔以下略〕」

つまり，共同防衛義務は，「日本国の施政の下にある領域における」武力攻撃の場合にのみ生じます。アメリカ本土や日本の領域外にある米軍艦船などが武力攻撃を受けた場合には，日本は共同防衛義務を負いません。したがって，アメリカの防衛義務の範囲のほうが広くなっているのです。

しかし，そのかわりに，日本は，アメリカに基地を提供する義務を負っています（6条）。在日アメリカ軍の地位や特権免除については，別の条約である日米地位協定（1960年）で規定されています。

Column ㊳　日本国憲法9条と集団的自衛権

上述したような日米間の変則的な共同防衛体制の理論的背景には，日本国憲法9条により，日本は集団的自衛権を有しつつも行使は許されない，とする日本政府の解釈がありました。

しかし，1990年代から，日本は国外でのアメリカ軍活動への協力を強化してきました。さらに，2014年7月の閣議決定は，「我が国と密接な関係にある他国に対する武力攻撃が発生し，これにより我が国の存立が脅かされ，国民の生命，自由及び幸福追求の権利が根底から覆される明白な危険がある場合」には，集団的自衛権の行使も許されうるとの憲法解釈を示しました。それを受けて，2015年には，「日米防衛協力のための指針」が改訂され，関連の法律の制定・改正が行われました。

3 武力紛争の規律

私たちは，軍縮のための交渉や安全保障制度を整備する努力にもかかわらず，いまだに数多くの武力紛争があるという現実に向き合う必要があります。そこで，武力紛争の遂行方法を規制する法規則群，つまり「**武力紛争法**」が整備されてきました。その内容は，軍事的必要性と生存権などの人権保護のバランスがとられたものでなければなりません。後者の人権保護を重視する立場からは，「**国際人道法**」ともよばれます。以下，国際武力紛争（国家間の武力紛争）と非国際武力紛争にわけて紹介します。

1 国際武力紛争の規律

1899年と1907年の2回のハーグ平和会議において，**ハーグ陸戦条約**とその付属規則（**ハーグ陸戦規則**）など，多数の条約が採択されました。第2次世界大戦後の1949年には，**ジュネーブ諸条約**（**傷病兵保護条約，海上傷病者条約，捕虜条約，文民条約**）が採択され，さらに1977年採択の**ジュネーブ諸条約第1追加議定書**により，規則がさらに充実化されました。

戦闘手段にかんする一般原則として，攻撃対象は戦闘員および軍事目標にかぎられます（第1追加議定書48条）。これは，**軍事目標主義**とよばれます。軍事目標とは，とくに物については，その性質などが軍事活動に効果があり，その破壊などが明確な軍事的利益をもたらす物です。軍事施設や軍需工場などがその例です。一般の家屋や学校などは，軍事目標ではない（民用物とよばれます）と推定されます。

さらに，たとえ軍事目標であっても，**不必要な苦痛を与えることは禁止**されます（第1追加議定書35条2項）。

戦闘員が敵の権力内におちいった場合，**捕虜**として国際法上の保護が与えられます。具体的には，人道的にかつ人種などによる差別なく扱われます。捕虜への報復措置や，殺害，人体実験などは禁止されています（捕虜条約 13 条～ 16 条）。

Column ㊴ 核兵器使用は慣習国際法において許されるか

2021 年 1 月に，核兵器使用などを禁止する全世界的な条約である核兵器禁止条約が発効しました。しかし，核保有国は批准せず拘束されません。それでは，慣習国際法上は核兵器の使用は合法でしょうか。

いわゆる原爆判決（東京地裁 1963 年 12 月 7 日判決）は，原爆投下は，当時の国際法，すなわち軍事目標主義や不必要な苦痛を与えない義務に違反すると述べました。

一方で，ICJ は，核兵器使用の合法性についての勧告的意見（1996 年）において，結論の 1 つとして以下のように述べました。

「核兵器の威嚇または使用は，武力紛争に適用される国際法規則，とくに人道法の原則と規則に一般的には違反するであろう。しかし，国際法の現状からすれば，裁判所は，国家の生存自体が危うくされるような自衛の極端な状況において，核兵器の威嚇または使用が合法か違法かを確定的に結論することはできない。」

本結論部分は，核兵器支持派と反対派双方の立場に配慮しており，妥協的色彩が強いように思われます。評決が 7 対 7 となったため，裁判所長の決定投票で採択されたことからも，裁判官の間で意見がわかれていたことがうかがえます。

2 非国際武力紛争の規律

武力紛争法の規律は，国際武力紛争を念頭に発展してきました。しかし，とくに第 2 次世界大戦後の武力紛争は，内戦が主となっています。

そこで，**ジュネーブ諸条約の共通 3 条**は，内戦の規制にはじめて踏み込みました。すなわち，同条は，敵対行為に直接に参加しない者を人道的に待遇することを，各紛争当事者に義務づけています。

さらに，1977 年採択の**ジュネーブ諸条約第 2 追加議定書**で，人道的待遇について より詳細に規定されています。国際武力紛争の犠牲者を保護する第 1 追加議定書と異なり，第 2 追加議定書は，非国際武力紛争の犠牲者の保護が目的です。同議定書では，保護を受ける者も，武力紛争の影響を受けるすべての者に拡大されています。

しかし，非国際武力紛争のための規則の整備は，とくに戦闘対象・形態については，国際武力紛争に比べるといまだに不十分で発展途上です。

4 国連の平和維持活動（PKO）

武力紛争が収束したあとの平和の回復および維持のためには，戦後補償や戦争犯罪人の処罰など，多角的な取組みが必要です。ここでは，停戦を維持して事態の悪化を防ぐための活動として，**国連の平和維持活動**（Peacekeeping Operations; **PKO**）について紹介します。

1 伝統的な PKO

すでに述べたように，冷戦期は集団安全保障体制（国連憲章第 7 章にもとづく安保理の強制措置）が有効に機能しませんでした。そのかわりに，PKO が武力衝突の回避や紛争の拡大防止に大きな役割をはたしました。PKO は，国連憲章に規定されておらず，国連が必要に応じて形成し発展させてきた活動なのです。

PKO の**伝統的な任務は，停戦の監視，非武装地帯の巡視，兵力の引き離しなど**です。伝統的な諸規則は，つぎのとおりです。

POINT

① 停戦合意の存在
② 関係当事者が PKO の受け入れに同意していること
③ 中立性（一方当事者に肩入れせず）
④ 武器使用は自衛の場合（任務遂行妨害の排除も含む）のみ

2　冷戦後の任務多角化

冷戦期においてPKOは重要な働きをしましたが，冷戦後の安保理の活性化により，その活動はさらに広がっています。現在の安保理の議題の多くはPKOについてであり，その予算は国連の通常予算をはるかに上回ります。

たんに活動数が増えているのみならず，**活動内容も多角化**し，**政治過程や民生部門をカバー**するようになっています。具体的には，国家機構の再建（治安維持，選挙監視，行政事務代行など）や，人道支援（難民の保護・帰還支援など）にもかかわるようになっています。

このような多角的な任務を効果的に実行するために，PKOが**国連憲章第7章の強制措置と接近する傾向**があります。つまり，PKOに武力行使の権限が与えられることがあるのです。その過程では，現地武装勢力との武力衝突にまで発展した末に撤退した，第2次国連ソマリア活動（UNOSOM II）のような例もありました。しかし最近では，停戦合意でPKOの任務内容についても紛争当事者の同意をとりつけるなど，より当事者に受け入れられる活動になるよう改善が図られています。

3　日本の貢献

1990年の湾岸危機以来，日本が国際平和にどのように貢献していくかが活発に議論されました。その結果，1992年に，「国際連合平和維持活動等に対する協力に関する法律」（**国際平和協力法**）が成立しました。同法にもとづいて，第2次国連アンゴラ監視団（UNAVEM II）に3名の選挙監視要員が派遣され，続いて，**国連カンボジア暫定統治機構（UNTAC）に，自衛隊がはじめて派遣**されました。そののち，現在までに多くの人員を派遣してきました。

日本は，PKOへの人員派遣について，以下の5原則を設定してきました。

CHART 図表 12.2 国連 PKO の展開状況

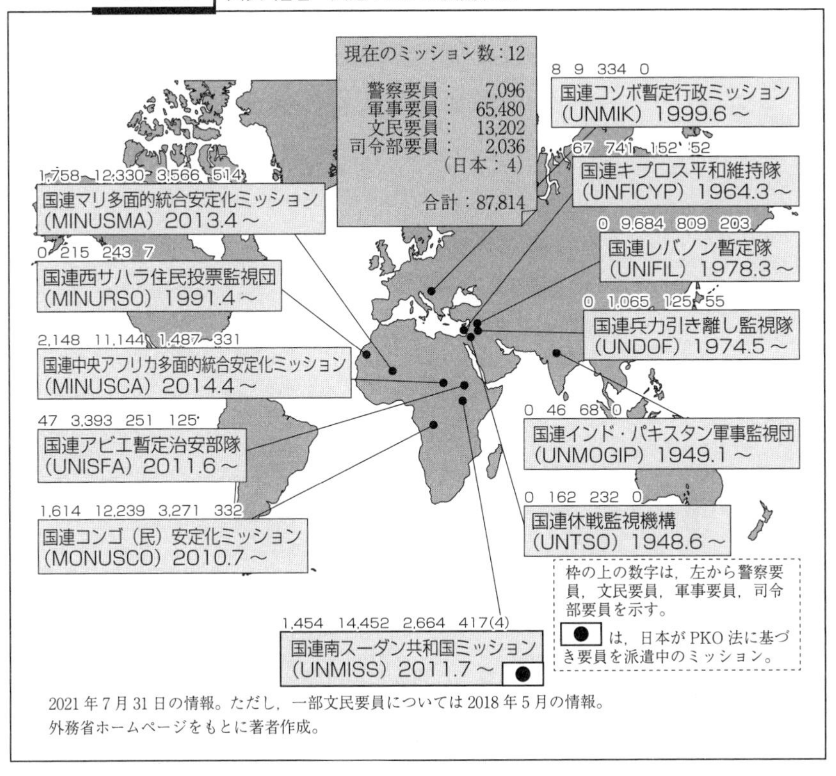

2021 年 7 月 31 日の情報。ただし，一部文民要員については 2018 年 5 月の情報。
外務省ホームページをもとに著者作成。

POINT

① 紛争当事者間の停戦合意
② 受け入れ同意
③ 活動の中立性
④ 上記 3 条件がみたされなくなった場合の撤収
⑤ 武器使用は要員の生命等の防護のために必要最小限度

最近では，2015 年に国際平和協力法が改正され，業務の拡大にともない，⑤の武器使用についての原則が若干緩められました。つまり，安全確保業務（住民保護などの安全な環境の確保）および駆けつけ警護（PKO や人道救援活動などに従事している人などのもとに駆けつけて保護）の実施にあたり，⑤の原則を超える武器使用が可能とされました。

また日本は，財政面でもPKOに貢献しています。2020〜21年度のPKO活動の費用につき，アメリカ（約27.9%），中国（約15.2%）についで，約8.6%を負担しています。

事項索引

た　行

な　行

は　行

ま・や　行

ら・わ　行

国際法〔第2版〕
International Law, 2nd ed.

2017 年 9 月 30 日　初　版第 1 刷発行
2022 年 3 月 25 日　第 2 版第 1 刷発行
2025 年 5 月 10 日　第 2 版第 5 刷発行

著　者　玉　田　　大
　　　　水　島　朋　則
　　　　山　田　卓　平
発行者　江　草　貞　治
発行所　株式会社　有　斐　閣
郵便番号　101-0051
東京都千代田区神田神保町 2 -17
https://www.yuhikaku.co.jp/

印刷・萩原印刷株式会社／製本・大口製本印刷株式会社

ISBN 978 - 4 - 641 - 15090 - 4